GLORIA Y JORGE
Cartas de Amor y Conflicto

El apasionado intercambio epistolar que sostuvieron Gloria Marín y Jorge Negrete desde el día en que el chispazo del amor iluminó sus existencias, hasta el doloroso momento de la ruptura, sirvió a Claudia de Icaza para recrear la atormentada historia de amor de estos dos grandes personajes cinematográficos idolatrados por el público. La presente obra literaria, en su veracidad, es más emocionante que todas las películas de que fueron protagonistas. ¿Quién amó más, él o ella? ¿Quién tuvo la culpa de la separación? El lector no puede dejar de involucrarse y tomar partido a favor de Gloria o de Jorge, cuya capacidad de amar fue tan grande, que aun separados (y unidos por despecho a otras personas) siguieron amándose.

LOS *LIBROS* HACEN   *LIBRES* A LOS HOMBRES

HERIBERTO FRÍAS 1104   **EDAMEX**   MÉXICO, D.F. 03100

GLORIA Y JORGE

Cartas de Amor y Conflicto

Claudia de Icaza

Título de la obra: GLORIA Y JORGE, CARTAS DE AMOR Y CON-
FLICTO.

Derechos Reservados © en 1993, por EDAMEX (Editores Asociados
Mexicanos, S.A. de C.V.) y Claudia de Icaza.

Portada: Dpto. Artístico de EDAMEX.

Cuarta edición: noviembre de 1994.

EDAMEX, Heriberto Frías 1104, Col. del Valle, México 03100. Tel.:
559-8588 con 18 líneas. FAX: 575-0555 y 575-7035. Si llama de Estados
Unidos, marque 91-525 antes del número.

Ficha bibliográfica:
    6.- Biografías
    6.1 Actores

ISBN-968-409-737-9

Títulos en esta colección
UNA MUJER LLAMADA MARÍA FÉLIX
Carmen Barajas

MARILYN, ¿SUICIDIO O ASESINATO?
Ulises Páramo

Impreso y hecho en México con papel reciclado.
Printed and made in Mexico with ecological paper.

Índice

Prólogo

Jorge Negrete es el personaje cinematográfico que más hondamente dejó huella entre los cinéfilos de los países de habla castellana, en la segunda mitad del siglo XX.

Su simpatía proverbial, su aspecto varonilmente atractivo, y su magnífica voz de barítono, cautivaron a varias generaciones de aficionados al cine. Negrete interpretó a un personaje ficticio que pretendió ser el paradigma del mexicano pueblerino, un charro enamoradizo, seductor, valiente, cumplidor, defensor de la justicia y de las buenas causas, de ese mexicano que la literatura romántica pintó con brochazos tricolores y que encarnó, al finalizar la guerra civil que casi arrasó a nuestra Patria, el ideal de muchos jóvenes provincianos para quienes llevar una pistola al cinto era muestra de hombría, así como beber varias copas de tequila.

El Jorge Negrete de las películas era uno, y el de la vida real otro completamente distinto. Tierno, apasionado, simpático, bonachón, buen hijo y buen esposo; es el Negrete auténtico que Claudia de Icaza presenta en su magnífico libro, al través de la correspondencia sostenida durante varios años entre el famoso actor y la mujer que fue el amor de su vida, la hermosísima actriz cinematográfica Gloria Marín.

El trabajo de Claudia de Icaza es muy meritorio, pues ofrece un panorama completo de la filmografía de Negrete y Gloria Marín, con certeros comentarios y oportunísimas apostillas para recrear el ambiente en que transcurrió el idilio de los dos actores, que se inició en la forma más tierna y espontánea, y estuvo a punto de terminar en tragedia por azares del destino.

Claudia de Icaza, laboriosa y perspicaz periodista, se revela en este libro como una magnífica escritora. Descubrió el epistolario Marín-Negrete y decidió publicarlo, rodeándolo del ambiente capitalino de los años cincuenta y sesenta, que ahora, a la distancia, nos parece tan maravilloso a quienes tuvimos la fortuna de vivirlo, pero que nos disgustaba y hacía sentirnos demasiado provincianos frente al de metrópolis como Nueva York o París.

La recreación que Claudia de Icaza hace de ese ambiente —que ella no conoció personalmente pues es una escritora muy joven y bella por añadidura— es producto de seria y profunda investigación y de una capacidad literaria que nos hace esperar de ella nuevos y valiosos libros.

"Historia de un gran amor" podría llamarse este libro o "Carta de Amor", títulos de dos de las mejores películas de los personajes centrales de la historia real que se narra en sus páginas. La personalidad de los protagonistas se descubre en las espléndidas cartas reproducidas entre el texto, tal como fueron escritas, sin restarles ni un punto ni una coma, cartas que reflejan el estado de ánimo de sus autores y la gran pasión que los unió y que, paradójicamente, fue también la que los separó.

Ulises Páramo

Nota de la autora

El mejor tónico para vencer la soberbia es el agradecimiento.

La realización de este libro epistolar, entrelazado a sucesos artísticos y personales de la pareja Marín-Negrete, en forma cronológica en base a la fecha de sus cartas (1941 principio de su romance-1952 la ruptura) no tiene otra pretención que dar a conocer un aspecto de su vida amorosa, a la gente del pueblo que los encumbró.

Su historia, por así decirlo, vivida en la Época de Oro del Cine Nacional, requirió de mi parte, profunda investigación de su quehacer artístico, y de innumerables entrevistas, amenas charlas con personas del medio que los conocieron y vivieron muy de cerca la manifestación de su amor, las cuales, al vertir sus comentarios y conceptos, (las más de las veces muy opuestos), ayudaron a que calibrara la tónica de los hechos expuestos.

Va para ellos mi eterno agradecimiento, por la sinceridad de sus palabras e incluso su apasionamiento, más que nada por brindarme la luz que abrió mi entendimiento... correspondo de la misma manera, (porque así lo pidieron) guardando su identidad en mi recuerdo.

De la misma manera agradezco a Gloria Ramos "La Yoya", por haberme proporcionado el material, y otorgarme absoluta confianza para llevar a cabo este proyecto.

Y una y mil gracias a mi esposo e hijos por su apoyo y paciencia, por haber sufrido "La pérdida reparable" de mi persona el año que me llevó realizar este sueño... éste que yo llamo "mi adorado tormento..." y otras mil gracias más a mis padres, hermanos, amigos y conocidos, por soportar a una loca siempre hablando de lo mismo.

Con la caricia de mi esfuerzo a: Francisco, Francisco Jr., Álvaro y Claudita.

1

¿Por qué hablar de los muertos?

Es inevitable evocar la Época de Oro del Cine Nacional cuando, gracias a la televisión, las Estrellas de aquellos tiempos siguen brillando con luz propia y con tal luminosidad que aún deslumbran a los que transitan la trayectoria moderna de nuestro cine. Por esta razón, y como testimonio a un gran amor que traspasó los reflectores y el escenario, surge esta historia que pocos conocen a profundidad.

Una historia de amor real, salpicada de momentos gloriosos, tiernos, apasionados. En ocasiones tan violentos y atormentados, que rebasan el límite de lo imaginable. Escenas intensamente vividas bajo el marco íntimo de dos inmortales; dos figurones que destacaron en la etapa triunfal de la pantalla grande: Gloria Marín y Jorge Negrete.

Toda una revelación de los aconteceres de su vida en pareja, la que por fortuna me tocó conocer una mañana de abril... Ironía de la vida, justo el día del aniversario de muerte de la actriz; la señora de la dulce sonrisa; la estrella de cine y televisión que no vacilaba en despojarse de la máscara de glamour y oropel para visitar a su hija en el internado; inolvidable colegio donde estudiamos la "Yoya" y yo en nuestros años de adolescencia. Ambas fuimos cómplices de todo género de travesuras y compañeras inseparables en la "desgracia", cuando las monjas que nos cuidaban (vestidas de rojo púrpura) enteraban a Gloria de nuestras andanzas. Nada especial por cierto: fumábamos a la hora de descanso, entre clase y clase, además de tomar prestado, por única ocasión, el "hábito" de una religiosa con el fin de saber qué se sentía portar tan digna ropa.

¡Qué sensación de alivio sentir ese tibio regaño por parte de la actriz, quien ocultando la gracia que esto le causaba, al mismo tiempo que nos guiñaba el ojo, se mostraba "enojada", empeñosa en representar el mejor papel de su vida: el de madre!

Siempre me pareció una mujer bondadosa, carismática, dueña de un sentido del humor excepcional. Me costaba trabajo situarla tras la pantalla como algo inalcanzable, como la actriz de mil matices, cuando ella misma se mofaba de algunos compañeros de profesión que pretendían fuera del set, continuar con su faceta de títeres. Precisamente ahora es cuando se hace presente el día que la acompañamos a una tertulia artística, a la que acudió por puro compromiso. No acabábamos de traspasar el umbral, cuando observé que su rostro se transformaba, su sonrisa era extraña, cómica diría yo, para en seguida advertirnos: "Bueno mis niñitas, llegó la hora de la 'Hipo', suceda lo que suceda mantengan la sonrisa en los labios ¡aunque se entuman!"

Anécdotas gratas que volverían a mi memoria muchos años después. Hasta esa mañana de abril, cuando su hija puso frente a mi un baúl tallado en madera con filo de plata que contenía el mayor tesoro de Gloria Marín: la constancia del gran amor que existió entre ella y Jorge Negrete por más de una década. Fotografías inmaculadamente conservadas, recortes periodísticos avalando su gran trayectoria artística, pero nada tan impactante como las cartas que Negrete le escribió durante el tiempo que duró su relación.

Casi un centenar de cartas que llegan al delirio. A las expresiones más grandes de este sentimiento, que sólo se conciben en alguien que amó perdidamente. De un ser tan espontáneo y fresco como un niño... tan apasionado y violento como puede manifestarse un hombre al presentir que otro seduce a la mujer amada.

Cartas de amor y conflicto que revelan la verdadera personalidad de Jorge Negrete, el recio e imperturbable líder sindical, el cantante que más que cariño, se ganó la admiración del pueblo. El artista que compartió una de las épocas más importantes del cine con: María Félix, Mario Moreno "Cantinflas", Dolores del Río, Libertad Lamarque. Personajes que transitan por esta historia y acerca de los cuales vierte su muy particular opinión esta pareja.

Documentos invaluables, que al llegar a mis manos provocaron en mí un sinfín de emociones, una gran ansiedad en ese primer contacto

con hojas olor a humedad, a tiempo y abandono, ¡qué profana me sentí cuando mis ojos se posaron en esas líneas..! Pero, qué convencida estoy de haberlo hecho. Descubrí que tras la fuerte personalidad que Jorge mostraba, como dirigente o artista de "pose" de primera plana, se escondía un hombre de gran sensibilidad. A través de él conocí en esencia lo que Gloria guardaba como mujer, y ahora sé por qué después de ella nadie más ocupó su corazón... Sí, me atreví y ¡asumo mi pecado!

Thoreau cita que: "El amor no sólo es una llama, sino una Luz". Gloria señalaba al respecto: "Pero qué difícil es encontrar a un hombre que sepa encenderla". A mí me basta decir que Jorge lo supo hacer, y ¡de qué manera!

Luz, llama de amor, lo que fuera, que por tanto tiempo se mantuvo encendida, no merecía permanecer oculta tras las frías paredes de un baúl. Va pues mi inquietud de remover cenizas, atrapar, si es posible, una chispa que reviva ese fuego... Hoguera inevitable del amor que forjó este libro.

2
La Época de Oro...
El mejor marco para un amor

Gloria y Jorge se conocieron bajo el marco de la esplendorosa Época del Cine Nacional, cuando esta industria representaba la tercera entrada de divisas para México, en el momento que el cine nacional, con esa fórmula mágica de mostrar al mundo la esencia de nuestro pueblo, resultaba como la gota de agua en medio del desierto ante filmes de temas bélicos que ofrecía el cine extranjero. Fue así como las películas mexicanas, plagadas de bellos paisajes, mostrando nuestro folklore e hiladas con temas poco complicados, pero manejados con toda autenticidad, reconfortaban el alma de otros pueblos lejanos que vivieron muy de cerca la guerra, no deseando otra cosa que olvidar aquel doloroso recuerdo.

Pero, remontémonos tiempo atrás. En 1931 comenzó la etapa triunfal de nuestro cine, en el que al igual que hoy, brotaba entre sus actores eso que llaman "química", la que inevitablemente traspasaba la cámara al transmitir con gran realismo lo que sucedía con ellos en materia de amor. Ejemplo palpable lo fueron en su momento: Carmen Guerrero y Adolfo Girón, protagonistas de "María Elena" y "Sobre las Olas", escenificando episodios tan románticos que el público suspiraba con ganas. Más tarde enfrentarían a otra pareja, la formada por Ramón Pereda y Adriana Lamar; artistas tan intensamente entregados a su papel amoroso, que acabaron contrayendo matrimonio.

"Allá en el Rancho Grande" fue una exitosa película que logró colocar en los cuernos de la luna a Tito Guízar y a la actriz de la belleza serena Esther Fernández; inolvidable pareja cinematográfica que no continuaría unida al enfrentar el cantante múltiples compromisos en suelo extranjero.

Vendría entonces, en el año 1938, la aparición de Jorge Negrete y Marina Tamayo en "Perjura"; película taquillera, realizada por una pareja sin "feeling" (según los productores) por lo que se olvidaron de volver a reunirlos. Sin embargo, a ella la ligaron a Emilio Tuero en argumentos como "Mujeres y toros" y "En tiempos de don Porfirio", logrando una cadena de éxitos que se prolongó hasta el año 1941, en que todo parecía indicar que no tenían rivales a pesar del impacto causado por Arturo de Córdoba y Mapy Cortés en "Cinco Minutos de Amor".

Lo que nadie imaginó que sería pronto un cañonazo, fue la entrada triunfal de otra pareja que daría mucho de qué hablar en el medio cinematográfico, protagonistas de "Ay Jalisco no te Rajes" filmada en el año 1941, situando a Gloria Marín y a Jorge Negrete muy encima de Tuero-Tamayo.

Precisamente en esta película, Jorge, con esa voz dominadora de notas inalcanzables e interpretando como nadie nuestra música ranchera, se ganó el corazón del pueblo. Así como Gloria, mujer de fisonomía rica en expresiones, demostró que podía ser de las pocas actrices, capaces de protagonizar primeros roles en la pantalla.

Poco antes de formar pareja, la trayectoria cinematográfica de Negrete ya había aportado algunos aciertos a su carrera, llevando el estelar en ocho películas. La primera de ellas, "La Madrina del Diablo", rodada en el año 1937 al lado de María Fernanda Ibañez, poco conocida como actriz, pero estrechamente vinculada al nombre de Sara García, su madre en la vida real, única hija que tuviera en su juventud, obviamente muchos años antes de participar en "Los Tres García" junto a Pedro Infante. En esta cinta se ganó el merecido nombre de: "Abuelita del Cine Nacional", título que al parecer, ninguna de las seniles artistas de la actualidad están dispuestas a heredar, a pesar de que por su edad muchas se lo merezcan.

Esperanza Baur, bella mujer que pescó y llevó al altar a John Wayne, celebridad de los foros de Hollywood, fue otra de las actrices que compartió créditos con Negrete en "La Valentina". Completando la lista el cantante con: "Caminos del ayer", "Juan sin miedo" y "El cementerio de las águilas".

Mientras tanto Gloria Marín, dedicada más al teatro, había ya realizado con anterioridad: "La tía de las muchachas" y "Los millones de Chaflán", donde tuvo la fortuna de compartir el escenario con Joaquín Pardavé, para luego trabajar con su primo Pedro Armendariz en la película "Cuando los hijos se van", alternando con otros grandes astros de la pantalla y de todos los tiempos: Fernando Soler y Sara García; si bien sus personajes en estas cintas no fueron de mayor relevancia, nunca imaginó que ligada a Jorge Negrete constituiría la pareja "non" del cine mexicano, que su éxito trascendería a Centro y Sudamérica obteniendo una popularidad de límites insospechados, al grado de que sus películas se convirtieron en las más taquilleras. Según los cinéfilos, ellos formaban la pareja perfecta.

Sí, una pareja que al momento de aparecer por primera vez en pantalla dejó al público sin aliento; en una época que acudir al cine o al teatro era todo un acontecimiento. Nuestro cine vivía sus mejores momentos y el nacimiento de sus grandes estrellas, artistas que se forjaban desde abajo, picando piedra, entregados a su profesión por amor al arte, y créanlo; bien remunerados sólo cuando alcanzaban el grado de ídolos. ¡Era otro mundo!, un mundo mágico del que fluía un glamour especialísimo; mostrando a sus personajes como seres de ficción, inalcanzables e inmortales... Aún hoy están considerados como monstruos sagrados.

Humanos al fin, con grandes proezas e indiscutibles errores. Personas como nosotros que en un momento dado mostraban su real faceta, si no frente a sus seguidores, al menos tras bambalinas, teniendo como espectadores a técnicos, directores y productores que sudaban la "gota gorda" cuando entre sus artistas surgía alguna discrepancia, acaloradas discusiones que frenaban irremediablemente el rodaje; tal como sucedió con Gloria Marín y Jorge Negrete al filmar: "Ay Jalisco no te Rajes"... ¡Un poco más y lo logran!

Dos escenas de "La Adelita", película en que Jorge Negrete conquistó al público con su voz varonil. Arriba Gloria y Jorge con José Elías Moreno.

3

Del odio al amor...
¡Cuánto odio pensar en amarte!

"¡Me cayó gordísimo! —confesó la actriz en alguna ocasión—. Su pedantería, aire de autosuficiencia que muchas veces llegaba a lo vulgar o grosero, hacían que Jorge pareciera antipático a simple vista. Y como no, si para el primer ensayo de la película donde nos conocimos, habían citado al elenco para la lectura del script, donde forzosamente teníamos que estar presentes los actores principales... Sólo que Jorgito, brilló por su ausencia; llegó dos horas tarde a la cita provocándome un disgusto terrible... ¡Bebí más tazas de café que en un velorio y fumé tantos cigarros que acabé en ronquera!

"Fue una espera tan larga, que llegó el momento de poner un 'hasta aquí' a una persona indisciplinada y poco consciente con nuestros compañeros de trabajo y sobre todo conmigo. Así que tomé mi bolso de lo más indignada y me dirigí a Joselito Rodríguez (el director) a quien le dije: Mira Joselito, yo sé que apenas empiezo en el cine, que no soy nadie, pero sigo siendo una dama. Honestamente no creo que por mucho que se crea ese señor, se le tengan tantas consideraciones. ¡Discúlpame, pero yo ya me voy, cuando Negrete aparezca, me llaman por teléfono y aquí me tienen, antes, no!"

Verdaderamente molesta, Gloria se despidió, por lo que Rodríguez se vio forzado a cambiar la cita del ensayo para las cuatro de la tarde del día siguiente. Así daría tiempo a que la actriz cambiara su estado de ánimo y modificara el mal concepto que se formó de Negrete. Si al fin de cuentas harían pareja, lo menos que podía darse entre ellos

Una de las primeras fotos de Jorge vestido de charro (1941). Abajo: Andrés Soler, Arozamena, Jorge y Gloria en "Gallo en Corral Ajeno".

era la cordialidad. Por otro lado, el hecho de que Jorge hubiera aceptado realizar la película, representaba todo un triunfo; lo trajeron desde Nueva York donde residía, con la idea de convertirse en cantante de ópera y a él, las cintas de "charritos", le parecían detestables.

Había que consecuentarlo o al menos pasar por alto ese tipo de situaciones que parecían pequeñeces. Opinión que Gloria no compartía. En verdad ese "detalle" la frustró dejándole una sensación de impotencia que la mantendría en vela toda la noche. No apartaba de su mente lo sucedido, por lo que se repetía en forma obsesiva: "Trabajar con él será un martirio, una pesadilla", sin imaginar que al otro día, al llegar al set, Jorge ya la estaba esperando, muy serio, muy formal, acompañado de un ramo de rosas para obsequiarle, al mismo tiempo que le decía: "Ruego a usted me perdone por el mal rato que le hice pasar ayer". Alejándose después, sin que ella pudiera agradecerle el regalo; tuvo que conformarse con dejar escapar una sonrisa de orgullo, reflejo de quien se sabe victoriosa en su primer batalla de eso que llaman: guerra del amor.

Más tarde, cuando ya se encontraban listos para el dichoso ensayo, se olvidaron de lo que habían hablado minutos antes. Emprendieron nuevamente la lucha midiendo fuerzas, su exacto lugar y su importancia. Entablando una conversación que años después les causaría gracia.

¿Así que vamos a trabajar juntos? —Abrió plática Negrete como intento infructuoso de romper el hielo.

—Así es señor.

—¿Y qué tal su papel?

—Me gusta, es bonito.

—Supongo que con esto empieza usted su carrera ¿no?

—Igual que usted—. Se defendió Gloria.

Bueno —aclaró Jorge en seguida—, yo he trabajado en otras, como: "La Valentina", "Perjura"... —y continuó enumerando todas las cintas en las que había trabajado, provocando que las mejillas de Gloria se encendieran como muestra de la vergüenza que sentía por ignorar la trayectoria cinematográfica de este artista. Más aún, cuando recordó de golpe, que al mencionarle el productor a Jorge Negrete como su posible galán; ese nombre no le había dicho nada.

Finalmente, esto sirvió para romper el frío ambiente que los envolvía y continuar a ritmo normal el rodaje de la película. De hecho, se les veía platicar animadamente, lo que indicaba que no existiría otro enfrentamiento; sin embargo, a Gloria no acababa de gustarle ese aire de conquistador que mostraba Negrete. La actriz seguía tachándolo de creído y sangrón... Educado y guapísimo (según Doña Laura) madre de ella, quien lo defendía a toda costa de los ataques de su hija.

¿Qué tenía ese hombre de extraordinario? Gloria lo definió así: "Su sonrisa era la de un niño tan dulce y espontáneo que ¿a quién no iba a enamorar..? Y yo no fui la excepción".

La atracción que surgió entre ellos al primer contacto físico fue inmediata. Una cuestión de piel que hacía de esas escenas de amor —en el script ficticias— algo tan deliciosamente natural que para nadie pasó inadvertido este flechazo, mucho menos para el director, que poco o nada tuvo que señalar en ese aspecto. Los dos interpretaron con tal veracidad sus personajes amorosos, que los rumores del flirt no se hicieron esperar. Definitivamente ese "dime y diretes" de las estrellas, lejos de perjudicarlos los benefició. Puede decirse que fue un acicate más para el éxito que obtuvieron en el estreno de "Ay Jalisco no te rajes".

Cabe mencionar que la versión de que su idilio surgió a raíz de esta película; convirtiéndolos de inmediato en amantes, es totalmente errónea. Ellos traducían este acercamiento como el inicio de una bella amistad, de un entendimiento mutuo que más tarde daría otras expectativas a su relación, la que sufrió un compás de espera cuando Jorge tuvo que viajar de inmediato a Estados Unidos a filmar "Rancho de las flores". Fueron sus cartas, enviadas con regularidad, el único medio efectivo para no romper con algo apenas surgido.

Hollywood Roosevelt
12 de agosto de 1941.

Querida Chamaca:
Unas cuantas líneas para demostrarte que no te olvido y para que sepas lo ocupado que estoy. Apenas tengo tiempo para dormir y pensar en mi regreso a ésa, para volver a estar junto a los que quiero.
La película está muy bonita y muy interesante la filmación en tecnicolor. Por aquí han admirado mucho tu cara y

Jorge y Gloria... una pareja que al momento de aparecer por primera vez en la pantalla dejó al público sin aliento.

Hollywood-Roosevelt Hotel

7000 HOLLYWOOD BOULEVARD
HOLLYWOOD ·· CALIFORNIA

"See the Hollywood you hear so much about"

IN CALIFORNIA

HOTEL MAYFAIR
LOS ANGELES

HOTEL SENATOR
SACRAMENTO

HOTEL EL RANCHO
SACRAMENTO

HOTEL CALIFORNIAN
FRESNO

HOTEL EL RANCHO
FRESNO

HOTEL MIRAMAR
SANTA MONICA

HOTEL EL RANCHO VEGAS
LAS VEGAS · NEVADA

Querida chamaca:

Unas cuantas líneas para demostrarte que no te olvido. No te imaginas lo ocupado que estoy: apenas tengo tiempo para dormir y pensar en mi regreso a ésa, para volver a estar junto a los que quiero.

La película está muy bonita y muy interesante la filmación del Tecnicolor.

Por aquí han admirado mucho tu cara y lindas facciones y lo primero que me preguntan es si sabes hablar inglés. Yo estoy seguro que aquí podrías hacer mucho más de lo que te imaginas. Aún que estoy trabajando como negro, ya te escribiré más despacio para contarte mis impresiones aquí.

Saluda a tu mamacita y tú recibe un beso de tu amigo,

José Negrete

P.D.— Saludos a Lily, a la cría y a Samuel.

lindas facciones. Lo primero que me preguntan es si hablas inglés, pues estoy seguro que aquí podrías hacer mucho más de lo que te imaginas. Yo aquí estoy trabajando como negro, pero ya te escribiré más despacio para contarte mis impresiones. Salúdame a tu mamacita. Y tú, recibe un beso de tu amigo.

Jorge Negrete.

Esta fue una de las tantas cartas que escribió durante el tiempo que duró su viaje. Gloria la conservó en su sobre original y como inscripción, con su propia letra, apuntó: "Aquí se inició nuestro romance".

Cuando él volvió a México, lo primero que hizo fue buscar a Gloria de inmediato. Algo inexplicable brotó entre los dos, desde ese primer enfrentamiento, a partir del roce de sus labios con aquellos besos... O simplemente porque el destino se propuso unirlos en su vida profesional y sentimental.

Vendría entonces su participación en "Seda, sangre y sol", también filmada en 1941, película que serviría como pretexto para estrecharlos más a nivel sentimental, a pesar de que en lo artístico este proyecto resultó un fiasco.

"Fue un 'churrote' —aceptaba la actriz con franqueza en una entrevista—. Y cómo no iba serlo, si el señor que la dirigió era escenógrafo, de dirección no sabía nada. El tema era eminentemente taurino y el señor ni siquiera había ido a una corrida de toros. Lógico, el resultado fue espantoso. Costó mucho dinero, fue un rotundo fracaso... Por fortuna nadie la fue a ver"; comentó divertida.

Luego, en justa compensación rodarían al año siguiente "Historia de un gran amor", enamorándose de sus personajes. El argumento escrito en base a la novela *El niño de la bola* de Pedro Antonio de Alarcón, fue adaptado por Julio Bracho. La producción no tendría límites, al grado de mandar traer a un tal Roger, modisto super cotizado en Hollywood que vestía entre otras luminarias a Lana Turner, quien se encargó de realizar todo el vestuario a la medida del elenco: zapatos, corsetería, aretes y demás accesorios que la película de época requería.

Gloria estaba fascinada con el papel de "Soledad", por lo que se aprendió de memoria sus líneas y discutía con Bracho (hasta el cansancio) el perfil psicológico del personaje.

Al observarla Bracho en los rushes, le comentó con franqueza: "Sabes, tu belleza es una de las más clásicas y perfectas". Opinión que ella no olvidaría jamás por tratarse de uno de los directores más reconocidos y prestigiados del momento. Luego, le advirtió muy serio: "Pero recuerda que tienes que dar todo como actriz. No siempre tendrás esta belleza. Te voy a exigir todo y tú vas a responder. Acuérdate que vas al lado de Jorge, de los hermanos Soler y de Sara García. Si te descuidas, te comen el mandado".

Palabras que Gloria recordaría justo el día del estreno en el Palacio Chino. Al observar su actuación sentada en la butaca, poco faltó para irse de espaldas mientras se reprochaba: "Qué lástima, no entendiste tu papel". Al mismo tiempo se escuchó al otro extremo la voz de una amiga: "Lo único que puedo decirte es que estás preciosa", comentario que agradeció, pero no la hizo sentir mejor. Algo en ella había fallado, lo intuía. Se dirigió a Bracho, en un intento infructuoso por rescatarse: "¿Estoy bonita verdad? —Sí, mucho—. ¿Y qué más? —Muy bonita—", le respondió secamente dejándola en estado lamentable... Bracho era un director que buscaba la perfección y como tal, era seco, enérgico; como persona era un pan.

Gloria poseía una belleza que subyugaba a cuantos la contemplaban. Según Julio Bracho su rostro era uno de los más clásicos y perfectos.

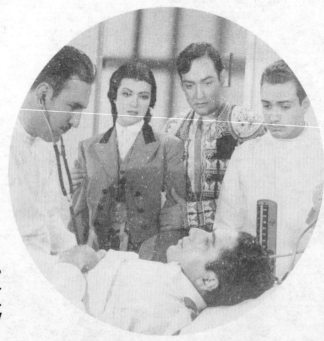

"Seda, Sangre y Sol" (1942) única película donde Jorge sale sin bigote. Interpretó a un torero y Gloria a una andaluza.

No cabe duda que la actriz fue demasiado exigente y crítica con ella misma. Finalmente la película fue todo un éxito y a la fecha está considerada como una de las joyas cinematográficas de la Época de Oro del Cine Nacional. "Historia de un gran amor" los consagró. ¡Qué lejos estaban de pensar, que ellos terminarían por escribir su propia historia!, pero con un argumento real, más fuerte y conflictivo, entrelazado con momentos tiernos, intensos, apasionados y de gran desconcierto, cuando aun amándose profundamente, enfrentaron circunstancias que amenazaban con separarlos, como sucedió un año después de mantener relaciones, en el momento que Gloria viajó sola a Los Ángeles y Jorge le envió su primera carta de reproche:

Los Ángeles, California   *8 de julio de 1942.*

Inolvidable Negrita:

Por fin recibo noticias tuyas, pues el telegrama que me mandaste, no era más que un aviso de tu llegada. Ese mensaje te lo contesté preguntándote el por qué de tu silencio y me extraña que no lo hayas recibido.

Viejita: estoy muy preocupado, pues se me figura que lo que tanto me temía, ha sucedido, ya que el tono indiferente y frío de tu carta me lo hacen sentir así. Me parece que has cambiado tanto como lo esperaba. De ser así, tú ya sabes lo que tienes que hacer, o sea, lo que te convenga. Dios sabe bien que no he de ser obstáculo en tu carrera ni en tu vida misma, que todo lo que quiero es tu felicidad y progreso.

Ni por un momento dejo de pensar en ti, atormentándome con todo género de preocupaciones. Te suplico por el gran cariño que "yo" te tengo a ti, me saques de este atolladero de una vez y sin rodeos. Contéstame cuando puedas, pues parece que estás sumamente ocupada con tu trabajo.

Te adora siempre. Jorge.

En realidad la actitud fría y distante de Gloria parece que empezó

Cuando el amor, la belleza y la salud acompañaban a la exitosa pareja, filmaron "Carta de Amor" (1943).

a generarse meses antes de realizar su viaje, al enterarse del embarazo de Elisa Christy, esposa de Jorge, quien se encontraba separada de él desde el momento en que se hizo pública la noticia del romance de su marido con la actriz. La mujer que conociera poco después de casarse en Estados Unidos y por la que pasó por alto su estado civil y la opinión de su familia, gente apegada a la religión, la moral y las buenas costumbres; mismos que armaron un escándalo cuando él decidió separarse para seguir a Gloria.

Una separación por cierto, muy a medias. La amarga confesión de su inesperada paternidad le dejó a ella muy clara la indecisión de Jorge respecto a los sentimientos e intenciones que tenía con su relación, actitud que acabó por envolverla en un mar de confusiones: ¿Debía seguir con él a pesar de todo? ¿Aun cuando en esos momentos la hacía sentir como un estorbo..? O ¿debía cortar de tajo, definitivamente, con un amor que le llegó prohibido?

Fue la madre de Gloria quien luchó porque su hija tomara una drástica decisión respecto a Jorge. Ella lo estimaba, pero entendía que esa relación, debido a las circunstancias, estaba destinada al fracaso. Además, le lastimaban de forma taladrante los comentarios que hacían de la actriz tachándola de liviana y quita hombres, cuando en realidad su hija no podía hacer nada, si Elisa no era la mujer que Jorge amaba.

"Pequeño detalle" que Gloria puso en la balanza al decidir si permanecía al lado del hombre que en esos momentos representaba toda su vida... Y se quedó, sin imaginar que le esperaban meses difíciles que la llevarían a fuertes crisis al nacer Diana. La hija de Jorge vino a removerle profundos sentimientos desencadenándole una depresión absoluta. Por un lado entendía que él necesitaba estar al lado de esa criatura; después de todo no tenía culpa. Pero también estaba su necesidad de refugio y lo buscó en la distancia, viajando al extranjero, poniendo como pretexto sus compromisos artísticos. Buscaba la forma de que él reflexionara y sin presiones tomara una decisión definitiva en sus vidas. Además, todo parecía marcarla como única culpable y ya no estaba dispuesta, alguien debía renunciar y todo indicaba que tendría que ser ella.

El público los aplaudía estrepitosamente. En "Ay Jalisco no te rajes", a la cual pertenece esta escena, tanto Jorge como Gloria se situaron en el pináculo de sus carreras.

4

Una Pasión Indestructible...

La emoción y ternura que Jorge experimentó al convertirse en padre, no influyó en lo absoluto en el amor que le profesaba a Gloria. Era evidente que la llegada de su primogénita no lograría alejarlo de la mujer que amaba, por lo que decidió mandar al diablo los conceptos morales y religiosos de su familia que le impedían realizar sus sueños. Comprendió que vivir en pareja no era cuestión de ley, era cuestión de piel y la suya se había impregnado irremediablemente a la de Gloria.

Así fue como su relación se estrechó más y tan significativamente, que poco después, al filmar "El peñón de las ánimas" al lado de la bellísima María Félix, el charro ni se inmutó; es más, pidió al productor (don Jesús Grovas) que dejara como su compañera a su querida Gloria, por la que sentía una enorme pasión, al grado de querer tenerla junto a él constantemente. Capricho de enamorado que no le fue cumplido. Finalmente la Félix se quedó en el papel, provocándole el disgusto de su vida.

Jorge se caracterizó por ser un hombre muy viceral, con arranques de enojo tan inesperados que se propuso declarar la guerra a esa "novata", que según él se estaba aprovechando de su nombre y prestigio para encumbrar su carrera. "¿Quién es? ¿De dónde salió..? Yo no la conozco", señalaba molesto, aun delante de ella.

La iba a conocer y de qué manera... Efectivamente María no era conocida, esta era su primera película, pero le sobraba altivez y soberbia para responder uno a uno los desplantes y groserías de que era objeto por parte de Jorge.

Así pasaron gran parte de la filmación de la película, al término de ésta, la Félix no tuvo empacho en comentar sobre Jorge: "Él no es galán del cine nacional, es el patán del cine nacional".

No obstante, "El peñón de las ánimas" significó para María gran proyección. La película rompió récords en los mercados nacionales y extranjeros. Y aunque se pensó que ella y Negrete podían enfrentar a cualquier pareja cinematográfica del mundo, la falta de entendimiento y sobre todo de "química" entre ellos, evitó que volvieran a filmar juntos. Coincidían en ocasiones en algún evento porque se movían en el mismo medio, pero sería ridículo pensar que a raíz de esa cinta nació por parte de Jorge un interés sentimental por ella. Gloria ocupaba por entero su corazón, así lo prueba la carta que él le escribió desde Nueva York, cuatro años después de este asunto, donde menciona a la Félix:

New York. The Central Park   Diciembre 8 de 1947.

Viejita adorada:

Acabo de recibir tu cartita con fecha 4 del actual, en la que me comunicas estar ya instalada en San José Purúa. Realmente lo que me dices me hace soñar tanto, que aun sin conocer ese lugar y guiado solamente por la descripción que de él me haces, es que me siento paseando a tu lado, por todos esos contornos que lo rodean.

Estoy seguro amor mío, que eso y más tendremos oportunidad de recorrer gozando juntos. Mi ansiedad es tanta por volver a tu lado que casi no descanso pensando en el momento divino en que vuelva a estar contigo. Si tu tristeza es grande, ya te imaginarás la mía. Te prometo los días más felices, de todos los felices días que hemos pasado juntos.

Después de terminar nuestros trabajos, vendremos aquí a Nueva York tú y yo solos; y ya verás los ratos que vamos a pasar. Aquí no te imaginas lo que te quiere la gente. Dicen todos, que no hay siquiera comparación entre tú y las demás artistas mexicanas, incluyendo a Dolores del Río y a la Félix. Pues aparte de que tú eres más linda, se ve a la larga

THE PARK CENTRAL — NEW YORK CITY 19, N.Y.
CIRCLE 7-8000 · SEVENTH AVENUE · 55 TO 56 STREET

Viejita adorada:

Acabo de recibir tu cartita de fecha 4 del actual en la que me comunicas estar ya instalada en San José Purúa. Realmente, lo que me dices me ha hecho soñar tanto, que aún sin conocer ese lugar y guiado solamente por la descripción que de él haces, que a veces me siento yo también paseando a tu lado por todos esos contornos que lo rodean. Estoy seguro amor mío, que ese y más tendremos oportunidad de recorrer y gozar juntos, pues mi ansiedad es tanta por estar a tu lado, que casi no descanso pensando en el momento divino en que vuelva yo a estar contigo. Si tu tristeza es grande, ya te puedes imaginar la mía, pues cada vez que llevo a mamá y a Tere a alguna parte, siempre pienso en lo feliz y divertida que estarías aquí conmigo y lo dichoso que yo sería te-

Facsimilar de la carta que reproducimos en las páginas 34 y 36.

niéndote a ti y a mi papacito con nosotros. Pero en fin, ya será pronto y todo se realizará con la ayuda de Dios P. S. y verás qué felices vamos a estar cuando yo regrese, que será exactamente el día 29 del actual. Ese día, como recordarás, es el santo de mi papacito y queremos hacer que le digan una Misa Solemne. Para entonces amorcito, te prometo los días más felices de todos los felices días que hemos pasado juntos y después de terminar nuestros trabajos, vendremos aquí a Nueva York tú y yo y verás qué ratos vamos a pasar. Aquí no te imaginas lo que te quieren las gentes; dicen todos que no hay siquiera comparación entre ti y las demás artistas mexicanas incluyendo Dolores del Río y la Félix, pues aparte de que eres más linda, se ve a la larga que eres una Señora.

Posdata de la carta que aparece en la pág. 68.

P. D. Viejita, por favor cómprame en mis calzoncitos en el Centro Comercial "Cervantes", lo que sabes de cuales, ya sabes tú, del número 2. Si puedes mándame inmediatamente siquiera media docena. Te lo agradezco.

Te adoro siempre

Jorge

que eres una señora. Una señora llena de prestancia, belleza
y bondad.

Imagínate como estaré de ancho que mis amigos, que ya
conocerás, no hacen más que preguntarme si eres así de lin-
da, aunque están seguros que lo eres todavía más. Tan dulce,
tan majestuosa, a la vez tan sencilla y tan buena. En fin, que
esto me hace sentir feliz. Haciéndome quererte más y más.

Esta carta la escribió Jorge en el año 1947, pero ya para el año 1945 la trayectoria artística de Gloria era impresionante, no había lugar de América donde no se le conociera. La actriz era capaz de personificar cualquier papel, imprimiéndole gran credibilidad. Era obvio que él se sintiera orgulloso de tener a su lado a una mujer talentosa y con una hermosura, que en honor a la verdad, jamás cámara alguna pudo captar en todo su esplendor.

La Félix era otro tipo de belleza, más agresiva, felina diría yo. Contaba con una personalidad que imponía, haciendo palidecer al más bragado. Nadie como ella para protagonizar a "Doña Bárbara" en la que imprimió la fuerza, energía e incluso la violencia que el papel requería. A partir de este filme fue que el periodista Fernando Morales Ortiz comenzó a llamarla "La Doña", título que se le quedó.

No la recuerdo representando el papel de mujer tierna, dulce y abnegada. Su personalidad era tan fuerte, que se comía al personaje. Indudablemente que si en esos tiempos le hubieran ofrecido personificar a la "Caperucita Roja", el final de la historia hubiera sorprendido: la Caperucita acabaría por comerse al Lobo Feroz.

Dolores del Río era la sofisticación, la gran dama. La mujer de porte aristocrático que se la creyó y terminó por codearse con la alta sociedad de México y del extranjero. La única, entre Gloria y María, que deseaba ser iluminada por los grandes reflectores de Hollywood.

Tres mujeres de peculiar hermosura que ocuparon los primeros lugares de nuestro cine, pero sólo una intensamente amada por Jorge Negrete. El galán más asediado de esa época, quien junto con Gloria formaba una pareja artística, que ya para el año 1943 obtenía éxito tras éxito, obligados por su popularidad a trabajar constantemente en el cine, ya fuera por separado o en pareja, como el caso de "El jorobado", guión basado en la novela de Paul Feval y en la que actuaron también Ángel Garasa, Andrés Soler y Ernesto Alonso (conocido actualmente como Mister Telenovelas). Jorge ganaba ya para entonces 30 mil pesos por película y Gloria 25 mil. Sin duda eran los artistas más cotizados y mejor pagados de la época.

Uno de los filmes donde Gloria intervino sin la compañía de Jorge, fue en "Qué hombre tan simpático", al lado de Fernando Soler, en la que por primera ocasión personificó un papel totalmente diferente a los que acostumbraba. Films Mundiales, S.A. la anunciaba así:

"La cara más bonita, los ojos más seductores, el cuerpo más juncal, la perfección física más estatuaria y desquiciante del cine mexicano; eso es nuestra Gloria Marín.

"Gloria cambia por completo de personalidad en esta película en donde además de lucir su esplendorosa belleza, canta y baila las nuevas y alegres congas de Manuel Esperón, como la 'Conga del apagón', donde verán a una Gloria distinta a la que han conocido".

En esta misma publicación, se anunciaba el surgimiento del nuevo galán, Rafael Banquells: "Una cara nueva, tiene figura, temperamento y magnífica escuela de actor". No se equivocaron, años después lo consagraría su participación en "Gutierritos".

"Carta de amor" es sin duda un recuerdo inolvidable de su bagaje artístico, película exitosa donde también participaron: Emma Roldán, Andrés Soler y Alejandro Ciangherotti, la cual les dio enormes satisfacciones a nivel profesional, pero ningún triunfo se comparaba a la estabilidad emocional que Gloria y Jorge habían alcanzado en su vida íntima. Se mostraban felices y enamorados. De hecho, en el aniversario de la publicación "México Cinema", al que acudieron como invitados de honor, a pie de foto se comentaba lo siguiente:

"La pareja más sensacional del cine mexicano, al fin deja fotografiarse. Los tiempos de especulación han pasado. La guapa Gloria Marín ya no tiene inconveniente en sonreír a la cámara". Efectivamente, su relación ya era aceptada por todos los que anteriormente no habían dado crédito a que lo suyo fuera un amor verdadero y no una aventura pasajera.

Fue una época de amor, de éxito, pero también de mucho trabajo. Las grabaciones discográficas de Negrete alcanzaron gran popularidad en Cuba y su presencia era esperada en la isla por miles de personas que lo admiraban, que estaban locas por conocer al galán de las películas mexicanas, al cantante, al regio artista... Sin imaginar

La belleza de Gloria en todo su esplendor lució como nunca en "El Joroba-do", filmada en 1942 y a la cual pertenece esta foto.

que tras él se escondía un hombre sensible que lloró emocionado al ver que lo tenían como ídolo. Un hombre atemorizado, al pensar que el precio de su popularidad lo tendría que pagar muy caro.

Habana, Cuba   *Enero 4 de 1944*

Viejita linda:

Como ya debes saber por la carta nocturna que te mandé, llegamos "Los Calavera" y yo muy bien después de ese viaje tranquilo y sin tropiezos. Veníamos adelantados una hora y media. La recepción que me dispensó el pueblo fue algo magnífico, apoteósico, caracterizado por una honda sensación de simpatía, que casi me hizo llorar.

Desde el aeropuerto hasta la entrada de la ciudad, o sea un trecho de más de quince kilómetros, el pueblo salió a la carretera a saludarme en forma entusiasta. Después, ya dentro de la ciudad, por todas las calles, al pasar por los cafés, o bajo los balcones o por las puertas de las tiendas y desde los tranvías y camiones en circulación, la gente toda me dio la bienvenida. Solamente faltabas tú para que mi gusto y felicidad fueran completas. Al llegar al hotel me esperaban nubes de fotógrafos y admiradores, así como periodistas y dos camarógrafos con sonido, de dos diferentes noticiarios.

Así que verás, que después de tanto ajetreo, caí rendido... Pero ya es bastante hablarte de mí. Ahora dime, ¿cómo has estado? Yo te extraño muchísimo viejita linda, y ya quisiera estar de vuelta o que tú vinieras acá. No te desesperes, ni te pongas triste, pues sabes que esta lanita que voy a ganar es para la deuda que tengo pendiente. Esta carta te la mando con una vieja amiga de mi hermano David, pues si te la mando por correo se tarda en llegar 20 días o más. Dime lo que se te ofrezca o quieras que haga, pórtate bien y acuérdate siempre de quien te adora... Tu Jorge.

En "El Pecado de Quererte" (1949) Gloria quitaba la respiración con su hermosura. A la izquierda la vemos con Julio Villarreal (padrastro de Elisa Christy) y en la otra foto con Sara García.

Habana, Cuba   *Enero 12 de 1944*

Viejita mía:

Cada día que pasa es más pesado y más largo. Ahora me doy cuenta de la falta que me haces, pues no hago más que pensar en ti a cada hora. Desde que llegué no he podido casi dormir y me paso las noches repasando uno a uno todos los momentos tan felices que he vivido a tu lado. Todos los días inefables de dicha que me has sabido ofrendar por más de dos años, que para mí han sido a lo más dos horas.

Te extraño muchísimo, te quiero cada vez más y sólo ansío que llegue el día en que mis compromisos terminen para volar a tu lado y volver a vivir normalmente, como un ser humano y no como ahora que vivo como un símbolo. Como algo que por conocido, tiene que esconderse en el último rincón para poder tener algo de tranquilidad...

Aunque parezca mentira, los pocos que conocían íntimamente a Jorge Negrete, descubrieron que éste se sentía inseguro cuando la multitud de admiradores lo rodeaban para pedirle un autógrafo o verlo de cerca. La admiración que él causaba lo cohibía, lo atemorizaba y lo hacía reaccionar de forma grosera y pedante. No obstante, el artista eternamente agradeció esa muestra de cariño y Gloria siempre fue la primera en saberlo:

El día de mi debut, doscientas mil personas fueron a saludarme, apostándose en una extensión de seis kilómetros desde el hotel, por el malecón Prado y hasta el Teatro Nacional.

Fue clamoroso, imponente, magno y conmovedor... No pude más, y al llegar al teatro, me solté llorando como un chiquillo sin poderlo remediar. Las lágrimas me brotaban a raudales a causa de la fuerte emoción de ver toda esa gente que me demostraba su cariño desinteresadamente. Un pensamiento voló inmediatamente a los míos y a ti negrita lin-

HOTEL NACIONAL DE CUBA — HABANA

CABLE—NACLHOTEL

enero 12 de 1944

Viejita mía:

Cada día que pasa, me es más pesado y más largo. Cada día me doy cuenta de la mucha falta que me haces, pues no hago más que pensar en ti a toda hora. Desde que llegué, no he podido casi dormir y me paso las noches repasando uno a uno todos los momentos tan felices que he pasado a tu lado; todos los días inefables de dicha que me has sabido aprender por más de dos años, que para mí han sido a lo más dos horas. Te extraño muchísimo, te quiero cada vez más y sólo ansío que se llegue el día en que mis compromisos terminen, para volar a tu lado y volver a vivir normalmente, como un ser humano y no como ahora, que vivo como un símbolo, como algo que por conocido, tiene que esconderse en el último rincón, para poder tener algo de tranquilidad. El día de mi debut, doscientas cincuenta mil personas fueron a saludarme, apostándose en una extensión de seis kilómetros, desde este hotel, por el malecón y Prado y hasta el teatro Nacional. Fué clamoroso, imponente, magno y conmovedor. Al llegar al teatro, me solté llorando como un chiquillo, sin po-

Facsimilar de la carta enviada por Jorge a Gloria desde la Habana, Cuba, el 12 de enero de 1944.

da, *deseando que todos hubieran estado presentes para gozar conmigo de este triunfo que Dios N.S., me ha permitido tener.*

Ya pronto volveré, te contaré y enseñaré las fotos de ese día. Y te besaré por todo lo que no te he besado desde hace un siglo... Hasta entonces.

Recibe todo el amor de tu Jorge.

Gloria también gozaba de la admiración y el cariño del público. La imagen dulce y tierna que proyectaba en sus películas la mostraban ante la gente como un ser accesible, familiar; tanto, que ese mismo año de 1944, el destino le reservaba una sorpresa, que sin tener nada que ver con el cine, bien pudo haber servido como tierno argumento cinematográfico... ¡Lo que una persona carismática puede provocar!:

Gloria Marín, madre a fuerzas...

Reportaje: Ángel Garmendia.

Gloria Marín, sin que nadie interviniera de alguna forma, de la noche a la mañana se convirtió en madre de una chica de 14 años, llamada Consuelo Vásquez Arregoitia.

La niña llegó el martes de la semana pasada por vía aérea. Día en que todavía el mundo cinematográfico mexicano continuaba comentando el suicidio de Lupe Vélez (la mujer torbellino que huía de la dicha de ser madre, pretextando que su hijo no tendría padre al momento de nacer). Y fecha en la que en el aeropuerto de Tampico se desarrollaba una escena muy interesante: una chica en la oficina de boletos daba su nombre:

—Consuelo Vásquez, a la orden de usted.

—¿Cuál es el apellido de tu mamá? —le preguntó en forma rutinaria el empleado.

—Arregoitia.

—¿Adónde te diriges?

—Voy a México, ya le puse telegrama a Gloria Marín para que me espere.

El expendedor de boletos, acostumbrado a escuchar todo tipo de historias, no se mostró muy interesado en la versión, por lo que le extendió el boleto sin más averiguación, sin imaginar que ella estaba hablando muy en serio, al grado que antes de partir a la Ciudad de México, ya había enviado un telegrama a la mimada actriz, el cual, había llegado a tiempo a su residencia situada en la calle de Mazatlán.

Gloria se encontraba acompañada por su madre cuando recibió el mensaje. Las dos fruncieron el seño, y por más que hicieron memoria, no daban con ninguna persona amiga de esos apellidos, y menos que residiera en Tampico.

—Hija, puede ser que se trate de un guasón que pretende por este medio hacerte ir a Balbuena. No hagas caso, esto no tiene importancia—. Le aconsejaba doña Laura, mientras que en otra parte el bimotor continuaba su vuelo hacia México. Su pequeña pasajera miraba y sintió vértigo, cuando se percató de la enorme altura a la que volaba el pájaro aquel.

Ya había dejado muy abajo montes y ríos, pueblos y caseríos. A Consuelo le entraba algo de desasosiego por el temor de que el aparato perdiera su ruta. Luego, aterrizaría al fin en el aeropuerto central, y ella bajaría junto con los demás pasajeros para instalarse en la sala de espera. Miraba ansiosa, esperando ver la silueta que días antes había visto en un cine en Tampico, misma que le había causado una enorme simpatía.

Las horas pasaron, los empleados de la compañía se alarmaron al verla sola y decidieron comunicarse con la artista, que según la niña, había quedado de pasar por ella. Llamada que a Gloria le dejó un tanto asombrada y decidió por fin, junto con su madre, ir hasta el aeropuerto para terminar de una vez por todas con esa broma de mal gusto.

Poco después, ya se podía ver a la chica extendiendo los brazos, al mismo tiempo que le decía emocionada a la actriz: "Tú eres mi madre, yo te escogí..."

Sin medir palabras, Gloria, su madre y Consuelo, subieron al auto y emprendieron el regreso a casa. Luego, acribillaron a preguntas a la chica, quien se había tomado el atrevimiento de venir a México a meterla en el compromiso de tomarla como madre.

En la Habana tributaron a Jorge una recepción tumultuosa. Cientos de admiradores y admiradoras se congregaron en el aeropuerto para vitorearlo.

En un automóvil descubierto Jorge fue llevado desde el aeropuerto hasta su hotel. En el trayecto miles de cubanos lo aplaudieron; las mujeres le tiraban flores y hasta el hijo del presidente Fulgencio Batista fue a visitarlo.

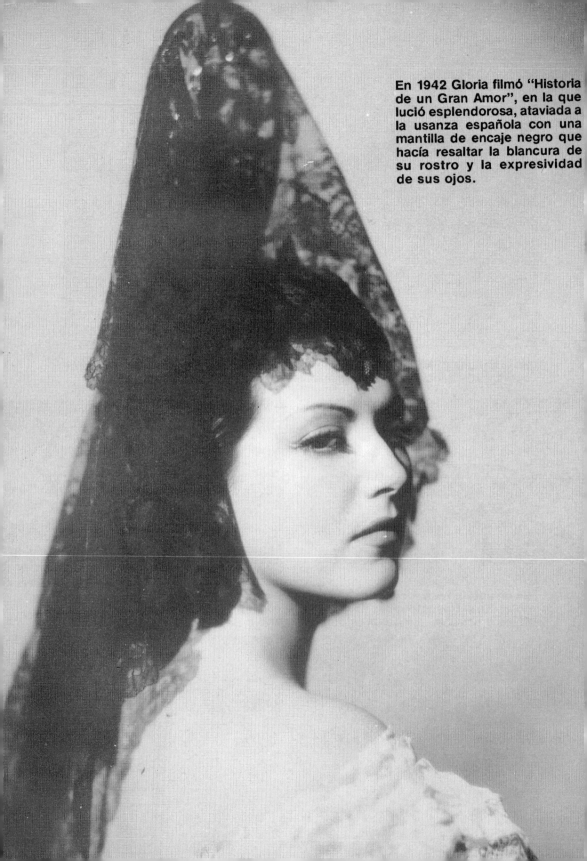

En 1942 Gloria filmó "Historia de un Gran Amor", en la que lució esplendorosa, ataviada a la usanza española con una mantilla de encaje negro que hacía resaltar la blancura de su rostro y la expresividad de sus ojos.

—Pero, ¿qué no tienes madre? —preguntó la actriz en tono de reproche.

—Sí, sí tengo madre... No, no tengo. Tenía una madrastra, pero los tratos que me daba me obligaron a huir de casa. Además, la vi a usted tan linda en el cine. En sus ojos se reflejaba tanta bondad, que en el acto decidí tomarla como mi madre.

Así de fácil se encontró Gloria Marín con una historia que sobrepasaba los roles ficticios que desempeñaba en su profesión. Un tema que es la vida misma, de muchos tiernos seres que vagan por la calle sin amparo de ninguna especie.

Consuelo Vásquez, morena, de rostro gracioso, simpático, más temerosa que tímida, vio sobre la pantalla la imagen dulce de Gloria y pensó en lo feliz que sería si viviera a su lado como su hija. Ya no había necesidad de hacer más preguntas a la pequeña, quien apenas empezaba a vivir tranquila y a volver a sonreír, era injusto hacerle recordar un duro e inhumano pasado, aún muy reciente, cuyas huellas habían quedado en sus carnes morenas, cruelmente cicatrizadas.

Caso curioso, no fue Gloria la que la había elegido como su hija, sino esta pequeña quien la adoptó como madre y la hizo hablar como tal, a pesar de que se mostró renuente en un principio a aceptarlo:

"Esta niña está muy llena de voluntad por agradar, muy servicial. Trata de conquistarse el afecto en la casa, pero aún es muy pronto para decir que la quiero como a una hija". Palabras defensivas que perdieron fuerza, cuando la pequeña apareció cargada de paquetes, acompañada por la madre de la actriz, quien la había llevado de compras. En los cálidos ojos de Gloria habría de aparecer una ráfaga de ternura. En Consuelo ha encontrado el arranque de cariño, que me pareció, la actriz viene buscando afanosamente. Pero debo continuar, Gloria Marín con una gravedad desconcertante, habló de Consuelo:

"Me ha dicho que terminó el sexto año, pero no está satisfecha de sus estudios, así que el año próximo, si Dios quiere, ingresará a la escuela para repetirlo". Sus palabras eran la negación de lo que minutos antes había dicho: que aún no era tiempo de sentir afecto por Consuelo... Y ésta es la historia de cómo le cayó del cielo una hija a Gloria Marín.

Consuelo se mantuvo bajo la custodia de la artista hasta que pudo volar con sus propias alas. Y la actriz, que hasta entonces no había logrado un hijo propio, probó las mieles de la maternidad, aunque fuera de una manera tan sorpresiva.

1944 fue uno de los años más significativos de la carrera cinematográfica de Gloria, justamente cuando filmó "Crepúsculo", película importantísima para todos los que en ella participaron. Nuevamente la dirigió Bracho, quien logró su consolidación definitiva y una justificación ante la crítica que lo proclamaba como el mejor director mexicano. Para Arturo de Córdoba y Gloria representó la oportunidad de borrar de un plumazo cualquier mala impresión que hubieran causado en filmes intrascendentes.

Gloria representa a una mujer de personalidad compleja que sostiene un flirt casual con un médico (Arturo de Córdoba), llevándola a vivir una serie de situaciones dramáticas y precipitadas por entregarse a un amor prohibido; película que logra su máxima expresión con la interpretación que realizan estos famosos artistas. Una escena más de éstas y el cine amenazaba con incendiarse.

"Alma de Bronce" fue el filme donde Gloria trabajó con su primo Pedro Armendáriz. Tema que trataba la historia amorosa enmarcada con un fondo patriótico, teniendo como escenario los pintorescos paisajes del estado de Veracruz durante la época de la invasión francesa. Asunto que sirvió al director norteamericano Dudley Murphy para realizar una película que provocó los mejores comentarios por tratarse de un argumento digno de México: mostraba en alto y abiertamente el espíritu indomable de nuestra raza, a pesar del daño psíquico y moral que habían causado las invasiones extranjeras. En ella se hace odiar Andrés Soler, mientras que Pedro Armendáriz se gana todas las simpatías.

Para el año de 1945, el cine mexicano se encontraba en su apogeo. Su gran proyección era ya una realidad y todas las estrellas que en él participaban, opinaban de la pujanza y porvenir de éste; incluso, muchos aseguraron no estar interesados en trabajar en otros países.

"Así se empeñe Hollywood con su danza de millones contrarrestar la embestida triunfadora de nuestras películas, no logrará nada positivo. El cine mexicano se ha adueñado de los pueblos latinos, en la más noble de las luchas: la comprensión y el cariño entre nuestros hermanos de raza". Esto afirmó Arturo de Córdoba. No obstante, él realizó en Hollywood la película "Reens" y "Por quién doblan las campanas" Luego regresaría a México pues consideraba que los papeles que le ofrecían los gringos no tenían nada que ver con su personalidad. Así que antes de verse interpretando a un "piel roja", ya estaba de nueva cuenta aquí filmando junto a Elsa Aguirre "Algo flota sobre el agua".

Con Sara García y Domingo Soler en "La Tía de las Muchachas".

Gloria tal como apareció en "Una Carta de Amor".

En "La Venenosa" (1948) interpretó a una rumbera.

"Si vieran ustedes, que así vinieran películas maravillosas del extranjero, prefiero las nuestras, me parecen exóticas". Decía en ese entonces María Elena Marqués, quien acabó por personificar exactamente a una "piel roja" en Hollywood, al lado de Robert Taylor, el galán más cotizado de la MGM.

"Debo estar satisfecho del cine mexicano, y en alto grado, cuando decline el falso glamour de Hollywood. Prefiero ser el 'Lorenzo Rafael' al gígolo engomado". Comentario de Pedro Armendáriz. Casualmente fue uno de los artistas mexicanos que más trabajó en el extranjero: en Francia al lado de Martin Caroll, en Italia junto a Silvana Mangano y en Estados Unidos realizó gran cantidad de películas al lado de John Wayne.

"Confío y creo en el cine mexicano. Nadie más que yo debe estar agradecida después del éxito de mi película 'El peñón de las ánimas' ". María Félix no trabajó en Hollywood, pero lo hizo en Europa: en Francia con la película 'Cancán' y en Italia personificando a 'Mesalina', entre otras.

"Soy mexicanista, pero no antiextranjero". Solía decir Jorge Negrete, quien al principio de su carrera buscó el éxito como cantante de ópera en Estados Unidos, un poco antes de ser contratado para realizar "Ay Jalisco no te rajes". Luego, ampliaría su trayectoria cinematográfica hasta España.

"No creo que nadie ignore mis ideas sobre el cine: primero el mexicano, después el mexicano y siempre el mexicano". Gloria Marín le tuvo mucha fe a nuestro cine, aunque eso no evitó que trabajara en Argentina y España. En Hollywood causó sensación, pero declinó las ofertas que se le presentaron.

Dolores del Río, al igual que Pedro Armendáriz, fue una de las actrices mexicanas que más destacó en Hollywood, en innumerables películas como: "Anastasia", "El ocaso de los cheyenes" al lado de Richard Widmark, e incluso intervino en un filme con Elvis Presley, en el que salió de indígena; y en "Resurrección", novela de León Tolstoi, donde hace de rusa. Sin embargo, en pleno apogeo de nuestro cine declaró: "Ni hablar de Hollywood, para mí no existe más que el cine nuestro. No actuaría en ningún otro lado, ya lo he repetido hasta el cansancio. Con México tengo una deuda de gratitud de por vida".

¿Quién de ellos habrá querido curarse en salud con este tipo de declaraciones, sin pensar lo que le deparaba el destino?

En los cuarenta la industria cinematográfica de nuestro país producía no menos de ciento y tantas películas al año, los estrenos eran constantes y la promoción de las mismas se realizaba de una manera tan "cándida", que actualmente se nos haría ridícula.

El 6 de agosto de 1945 se anunciaba otra de las películas donde intervenían Gloria y Jorge:

"Lo que ustedes pedían, el máximo galán de nuestro cinema: Jorge Negrete y la bellísima Gloria Marín reunidos como pareja estelar en 'Hasta que perdió Jalisco'. Tan movida como 'Cuando quiere un mexicano' y tan graciosa como 'Me he de comer esa tuna'. Risas romances y canciones, y un chamaquito que ya verán la guerra que va a dar. Otro imponente cañonazo de los amores de la taquilla. Próximo estreno: 'Palacio Chino'. Dir. Fernando de Fuentes".

Precisamente en este año nuestro cine importó verdaderas figuras; de Buenos Aires llegó Hugo del Carril precedido por la fama de sus películas y su categoría como cantante popular. Clasa Films Mundiales lo contrató para intervenir estelarmente al lado de Gloria Marín en "El Socio". Hugo llegó a este país y demostró que era un actor polifacético, además de ser un hombre carismático, de carácter ideal para participar en esta tragicomedia; donde se bordaba una serie de incidentes variadísimos; una trama amorosa-pasional con sus momentos dolorosos y angustiantes, donde Gloria y Hugo mostraron su calidad histriónica.

En este filme, Hugo encarna al hombre derrotado, pobre y mediocre, que acaba por revelarse de su existencia sin objeto y decide luchar con todas sus fuerzas para salir de ella. Inventa un "socio" y gracias a esta mentira, su situación social y económica cambian radicalmente, convirtiéndose en un hombre rico y poderoso; logra prosperar en los negocios y hasta el amor llega a su vida.

Pero su "socio", como una gigantesca red que él mismo va tejiendo, lo envuelve, lo aprisiona, y el creador de la mentira se convierte en su esclavo. Pierde ante la ficción engendrada su propia personalidad y hasta a su propia esposa (Gloria Marín), quien por un capricho femenino, adquiere costosa joya con el importe de los ahorros hogareños y justifica el desfalco, alegando al marido: "¿Ves que amable ha sido tu socio?". La mentira crece, se agiganta, el "socio" lo asfixia,

Fernando Soler, Gloria y Tomás Perrín.

Gloria tenía obsesión por la buena ropa. Fue una de las artistas mejor vestidas de su época.

En 1949 filmó en Chiapas "Rincón Brujo". Un brote de viruela la obligó a guardar cuarentena.

desesperado e incapaz de sobrellevar esta farsa acaba trágicamente.

En esta película Gloria lució bellísima. La rancherita o campirana dejó de existir para dar paso a un personaje que le daría legítimo triunfo al interpretar a la protectora y amante del creador de "Mister Davis"... el "socio". A la actriz se le diseñaron peinados y maquillaje especiales. Gloria se convirtió en una de las estrellas más famosas y discutidas del momento, gozaba de la simpatía de miles de fanáticos del cine, medio que provocaba con sus artistas casos insólitos, como el que anunció La Prensa Gráfica el 26 de octubre de 1945:

"La virgen que salvó una patria"

"Con la efigie de Nuestra Señora del Sagrado Corazón y el retrato autografiado del galán Pedro Infante, se saca dinero a los católicos que quieren pertenecer a la cofradía de los artistas de cine. Un vivo comerciante visita casa por casa ofreciendo una litografía de la Virgen del Sagrado Corazón, a cuyo patrocinio acuden en el templo de San José astros y estrellas del cine mexicano en su mayoría. El retrato de Pedro Infante, Anita Blanch, Gloria Marín, Esther Fernández y algunas otras figuras de la pantalla, sirven como gancho al avispado vendedor para colocar la imagen de que son rendidas en sus devociones las luminarias cinematográficas".

Luminarias del cine, que al ser entrevistadas, bajaban de su pedestal (algunas) mostrando su verdadera personalidad. Una de ellas, Gloria, quien con su espontaneidad y sencillez, siempre acababa en amena charla. Como la que surgió con el periodista Jaime Valdez, el 25 de agosto de 1945 para la publicación "Cinema Mexicano".

—¿Qué haría Gloria Marín en sus últimas 24 horas de vida?

G.M. ¡Resulta difícil contestar así de sopetón! 24 horas son muy pocas, no me daría tiempo para hacer todo lo que quiero, como por ejemplo: dar la vuelta al mundo o tener un hijo— se ríe y luego se pone seria. Trucos femeninos para tomar el tiempo necesario y concentrar su pensamiento para dar una respuesta coordinada y sincera. *Pues bien —prosigue— cuatro horas antes de la cita fatal, las dedicaría por entero a un retiro espiritual, para arrepentirme de todos mis pecados, de todos los tamaños que hubiera cometido en las horas anteriores y así poder morir feliz.*

Supongamos que ese día fuera domingo: me leventaría muy temprano e iría a la Villa de Guadalupe para oír misa. De ahí en adelante trataría de vivir intensamente en todos los sentidos: ¿Hacer una película..? No, no me alcanzaría el tiempo, pero pediría anticipos ¡eso sí! Luego me iría a montar, a jugar tenis y a nadar, esto, para estar en las mejores condiciones físicas cuando la parca fuera a recogerme. Iría al paseo de Chapultepec a dar la última coqueteada de mi vida y me olvidaría por ese momento de mi trágico destino.

—¿Y qué comería?

G.M. Tomaría una de esas comidas que lo dejan a uno sin aliento, comería todo lo que me gusta, el menú consistiría en: una estupenda sopa, crema de espárragos o tomate. Luego vendrían unas tortolitas al vino ¡mmh, tan ricas! Después comería un rico mole con su ajonjolí y todo lo que debe llevar, todo esto lo acompañaría con unos frijolitos a la veracruzana, con sus plátanos fritos y sus totopitos, desde luego con la bebida adecuada.

La comida —asegura Gloria— no estaría completa si no tomara mi cafecito negro, acompañado de su copita de crema de cacao. Ya satisfecho mi apetito, iría a los toros. Llegaría puntualmente, porque me encantan y no me perdería por nada un mano a mano entre Garza y Silverio.

Tampoco faltaría mi ida al cine, pero tendría que ser una película excepcional, de esas que son imposibles de realizar, que estuviera estelarizada por: Dolores del Río, Cantinflas, María Félix, Jorge Negrete, Ricardo Montalbán, Arturo de Córdoba, María Elena Marqués y Carmen Montejo. Tendría que estar dirigida por Julio Bracho y el Indio Fernández, en codirección con Roberto Gavaldón y fotografiada ni más ni menos que por Gabriel Figueroa... ¡Ah! y que la luneta costara 20 pesos.

Después de disfrutar esas 24 horas a mi antojo, juro que no pondría resistencia cuando la muerte se apareciera. No, si se me cumplieran todos mis deseos. Finalizó diciendo la actriz que conquistó con su simpatía, a cuantos se topaban con ella.

Su carácter alegre y su sentido del humor la llevaban a entablar de

Gloria llevaba muy buena amistad con Mario Moreno "Cantinflas" a quien solía imitar a la perfección en reuniones y fiestas.

A Dolores del Río la admiraba. Juntas iniciaron el movimiento "Rosa Mexicano" dentro de la ANDA.

Foto tomada a Gloria en la Habana. Se la envió a su madre con una dedicatoria muy hermosa.

inmediato amistad, como sucedió con Hugo del Carril cuando trabajaron juntos en "El socio", película que al momento de su estreno provocó un sinfín de comentarios por sus escenas amorosas, sin faltar las notas periodísticas que señalaban:

"Y vaya señores, qué besos y qué escenas amorosas las logradas por Hugo y por Gloria, harán historia en materia amorosa en nuestro cine. Les aseguro que nunca han visto besarse, excepto a Lana Turner y Clark Gable, en la forma en que lo hace esta nueva pareja; con decirles que a la actriz le tenían preocupada los dichosos 'ósculos', pues como no la había visto terminada, no podía imaginárselos tan plenos de realismo... Aunque, hay un efectivo imán, la atracción es inevitable y ella, como sucede en el set o en la vida de cualquier mujer, dejará caer en lenta blandura su resistencia.

"Dentro de la estricta trama de la película ella se resiste, mientras Hugo interroga en silencio. Es el momento en que puede nacer y conformarse la pasión o se puede huir del delicioso instante de la oportunidad. Un beso es tanto y tan poco... Pero cuando tras él se oculta un sinfín de anhelos, sus consecuencias pueden ser mortales".

Sobre ellos se levantó una ola enorme de comentarios. El rumor crecía cada vez más sobre el rompimiento de Gloria y Jorge. El periódico "Esto" lo señalaba así el 26 de abril de 1946:

"Gloria Marín y Jorge Negrete han roto su noviazgo. Durante los últimos días éste ha sido tema de conversación en el mundillo cinematográfico. Por lo tanto la actriz se dedica a filmar con Hugo del Carril la nueva cinta titulada: 'El caballero Varona'. Y Jorge inicia por su lado el rodaje de 'El ahijado de la muerte' con la monada Rita Conde".

Las especulaciones cesaron hasta el día en que Negrete anunció su gira por Sudamérica. Con ese motivo se le organizó una fiesta de despedida en la residencia oficial del Círculo Cubano, a la que llegó acompañado de Gloria, disipando las dudas que había al respecto; los dos se mostraron más enamorados que nunca, dispuestos a disfrutar la velada rodeados de amigos y conocidos: Luis Sandrini, Joselito Rodríguez, Libertad Lamarque, sin faltar la presencia de Hugo del Carril, quien ofreció a Jorge su casa de Buenos Aires el tiempo que durara su estancia en la capital del Plata, detalle que dejó en claro la cordialidad que existía entre ellos.

Jorge emprende solo su viaje al extranjero, mientras Gloria se queda en México cumpliendo con su apretada agenda de trabajo.

Gran Hotel Bolívar   *Mayo 14 de 1946*
Lima, Perú

Viejita linda:

Te pongo estas líneas desde aquí, para saludarte con el mismo gran cariño de siempre y para decirte, que no obstante haber hecho el viaje sin novedad y con toda felicidad hasta el Perú, ahora nos encontramos aquí, en Lima, debido al mal tiempo. Hoy deberíamos haber salido para Santiago, pero se pospuso el viaje hasta mañana, ojalá y Dios quisiera sea así, para poder llegar a tiempo a B.A.

Esta detención de 24 horas no me importa, pues ya sabes que no me gusta viajar en martes, y por lo pronto yo aquí estoy disfrutando de esta ciudad que es lindísima. Realmente nunca me esperé encontrar algo tan bello, de tipo señorial antiguo. La gente es muy amable, pero a las nueve de la noche hasta da miedo salir a la calle, pues no encuentras ni veladores. La gente es muy recatada y no va a ningún lado después de esa hora. De Panamá ni te cuento, pues sólo de recordar su miseria y servilismo, me indigno y hago cada coraje que... De los otros países nada puedo decirte, los he pasado por encima, pues el avión se ha detenido normalmente de 10 a 15 minutos en el puerto.

Bueno viejita linda adorada, ya termino ésta para que pueda salir a tiempo y te llegue lo más pronto posible con mi amor profundo, mi devoción y recuerdo más cariñoso. Si algo me quieres comunicar hazlo en Buenos Aires a Radio Belgrano, pues aún no sé dónde viviré.

P.D. Salúdame a todos los que se acuerdan de mí. No te olvides de todas mis recomendaciones, pórtate bien y piensa en tu viejo que te adora.

Jorge.

Alvear Palace Hotel   18 de mayo de 1946

Mi vida:

Esta es la segunda carta que te escribo en ocho días, y ni contar de tres cables, pero es que no te puedes imaginar lo mucho que te extraño y la falta tremenda que me haces. Apenas ayer debuté en ésta y ya me parecen siglos que no te veo.

A veces siento impulsos de tomar un avión y regresar de inmediato para estrecharte entre mis brazos y tenerte así, sin aliento, un rato bien largo para sentirte pegadita a mí, palpitante y amorosa como en otros tiempos. Pero en fin, como dices tú, esto es sólo mi trabajo y debo continuarlo hasta terminar. Apenas hoy, después de mi debut de ayer, la empresa me ha ofrecido una prórroga de dos meses más, pero como tú comprenderás, de acuerdo a lo que te digo anteriormente, me he negado a trabajar ni por un día más.

El debut fue un éxito sin precedentes, pues se rompieron todos los récords, bendito sea Dios, pues hoy ha sido mayor y el tránsito se ha detenido tres veces en distintos lugares donde me he presentado. No me canso de agradecer a la Divina Providencia por sus bondades, y ojalá así me siga protegiendo.

Viejita si tú supieras lo que te quieren por aquí; el cariño y respeto que sienten por ti es conmovedor. Ya ordené a Villegas que ausculte la situación para hacerte un informe completo de lo que puedes hacer aquí. De hecho, el empresario ya quiere firmarte para la próxima primavera. No sabes, el público me grita en la calle preguntándome por ti y enviándote los más cariñosos saludos. Bueno viejita linda, termino ésta, y conste que no he faltado a mi palabra. Escríbeme pronto a Radio Belgrano para siquiera consolarme de tu ausencia con tus queridas letras. Salúdame a todos, y para ti mi vida, todo el amor que me cabe en el corazón.

Tuyo Jorge.

El cantante continuaba con su gira por diferentes ciudades de Argentina, mientras en México los rumores del affair entre Gloria y Hugo del Carril ya era una madeja de chismes. En esa época, como en todas, cuando dos artistas se ven sometidos a interpretar escenas candentes, de inmediato se les involucra sentimentalmente y ellos, a raíz de los besos que se dieron en "El socio", no fueron la excepción.

Besos que resultan inocentes, comparado con lo que en esta época observamos en materia de amor; ya no se diga en cine, en las mismas telenovelas vespertinas, donde se presentan escenas de "cama" tan creíbles, que uno se pregunta si los actores siguen las enseñanzas del inolvidable maestro de actuación Lee Stransberg, o si los propios protagonistas imprimen por su cuenta el toque de "gran credibilidad".

El hecho es que un romance surgido en este ambiente dura lo que un suspiro: el tiempo que los tienen contratados, ya sea por un capítulo, lo que tarda en desarrollarse una telenovela, la filmación de una película. Después... como que les hace falta la luz de los reflectores, los excitantes diálogos, la candente trama, sin olvidar la interesante personalidad de sus personajes. Luego, viéndose actuar su propia historia, simple, sin chiste, sin magia, como que no se hallan, como que no se entienden y acaban por preguntarse: y tú ¿quién eres?, concluyendo de esta forma el romance.

Muchos opinan que algo así sucedió entre Gloria y Hugo. Otros aseguran que el argentino no iba a ser tan torpe de meterse con la mujer de Negrete, cuando éste fue quien lo trajo a nuestro país, ayudándolo a conseguir y cosechar tanto éxito. Sin embargo, cuando los chismes y deducciones no dejan de circular, acaban con la confianza de cualquiera, a Jorge le llegaban a diario hasta Argentina y le escribió de inmediato a Gloria. No soportaba la idea de verla seducida por otro hombre:

Buenos Aires   *10 de junio de 1946*

Viejita:

En este preciso momento recibo tu cable donde me comunicas tu viaje a ésta. No te imaginas lo intranquilo que estoy, pues al leer éste y recordar tu carta y tu voz por el telé-

fono, tengo la impresión de que estoy a punto de perderte, si no es que ya te perdí... Hasta acá me han llegado los rumores de que Hugo del Carril te sigue cortejando.

En mi nerviosidad, no te escribí el cable claro y lo malinterpretaste, es por eso que te escribo ésta, porque ya no aguanto esta desazón. Lo que quería preguntarte es si todavía tienes tiempo de escribirme o si ya no quieres que esté en tu camino... Es tal mi desesperación, que sólo por ella me atrevo a escribirte así, porque te quiero y te soy leal. Pero son tantos los detalles que no tengo menos que pensar que ya te perdí. Me lo dicen tus cartas, el tono indiferente, convencional y diplomático que utilizas en ellas. Me lo dice también el tono frío de tu voz por el teléfono. Parecías cansada y al mismo tiempo ansiosa por terminar la conversación.

Perdóname una y mil veces en nombre de mi gran cariño si es que me equivoco, pero es el culpable de mis temores y mis imaginaciones. Pero si fuera verdad lo que antes te he dicho, no repares en decírmelo inmediatamente. Tan sólo porque estoy ausente o por un sentimiento de lealtad hacia mí, estés esperando mi regreso para hacérmelo saber.

No lo hagas, no te esperes, no des importancia a mi persona; pues al perderte, seré igual de infeliz aquí como allá. Estando acá lejos, será más fácil para mí, y yo ya no volveré a México hasta estar resignado. Estando allá todo me haría sufrir, pues todo en México me hablaría de nuestros amores.

Se buena prietita y sácame pronto de todo esto en la forma en que sea. Te prometo que seré fuerte y sabré aceptar lo que tú quieras. Yo por mi parte, te repito una vez más que te quiero con toda el alma, que no hay más mujer para mí que tú, y que cualquier deslealtad tuya me empujaría hasta el crimen. Piensa en mi situación tan violenta viviendo en esta casa, la de Hugo, y que me quema tan sólo de oír los rumores. Si no me he mudado es por no confirmarlos con mi actitud. A todo mundo digo que eres mi mujer, y si no me quedo más es porque ya no puedo estar más tiempo lejos de ti.

Ahora, si tú vas a venir antes que yo regrese, las cosas cambiarán de todos modos. Aquí te esperan mil tentaciones y miles de hombres que te harán pedazos en cuanto llegues... *Estoy loco mi vida, ya no sé ni lo que estoy escribiendo y por lo mismo voy a terminar pidiéndote que hablemos.*

Después de esto, saldremos para Santiago y de ahí iremos directamente a Lima, y de ahí a donde Dios quiera, o mejor dicho, a donde tú quieras. Regreso inmediatamente a México o me voy a China o adonde sea; todo depende de tu contestación... No sabrás nunca con qué ansiedad la espero, en ella va toda mi alma.

Te adora siempre, tu Jorge.

Como respuesta a todo esto, para el 15 de junio, cinco días después de recibir esta carta, el periódico "Novedades" anunciaba:

"Nuestra hermosa estrella, Gloria Marín, prepara afanosa las maletas para dirigirse a Buenos Aires, de donde le han llegado por cable proposiciones ventajosas para actuar junto a Jorge Negrete. El galán, que de seguro extraña mucho a la heroína de sus mejores películas, ha propuesto el nombre de la actriz para compartir créditos principales del reparto. Aunque no se sabe el título de los filmes en cuestión, de sobra conocemos la peripecia de Negrete para escoger argumentos atractivos".

Srita. Gloria Marín
Las Palmas 1420
MÉXICO, D.F.

Viejita:

En este precioso instante recibo tu cable, en el que me comunicas lo de tu viaje a ésta. No te puedes imaginar lo intranquilo que estoy, pues al leer ésta, tu carta única y al recordar tu voz por el teléfono, tengo la impresión de que estoy a punto de perderte si no es que ya te perdí. Hasta acá han llegado los rumores acerca de que H. del Carril te sigue cortejando. En mi nerviosidad, no te escribí el cable claro y lo mal interpretaste; es por eso que te pongo ésta, pues ya no aguanto esta desazón. Lo que quería preguntarte era que si no tenías ya tiempo para ocuparte en escribirme, o si ya no querías que estuviera en tu camino. Es tal mi desesperación, que sólo por ella me atrevo a escribirte así: porque te quiero y te soy leal, pero son tantos los detalles, que no tengo menos que pensar lo que antes te digo; que ya te perdí. Me lo hacen suponer, la letra de tu carta que no es la tuya, el tono de ella misma, indiferente, frío, convencional, diplomático; por otro lado el tono extraño de tu voz por el teléfono, las dos veces que he hablado contigo, parecías cansada y algunas veces ansiosa de terminar la conversación, como si tuvieras prisa o te fastidiara hablar conmigo. Y por último este cable tuyo que acaba de llegar, hecho también de prisa, igualmente frío y circunstancial. Perdóname una y mil veces, en nombre de mi gran cariño, no es que me equivoco, pues ése es el culpable de mis temores y mis imaginaciones, pero si fuera verdad lo que antes te he dicho, no repares en decírmelo inmediatamente, ya sea porque estás ausente y por un sentimiento de lealtad temías mi ... mi regreso para hacérmelo saber

Facsimilar de una de las cartas de Jorge a Gloria.

No lo hagas, no te empeñes y no des importancia a mi persona, pues al perderte seré tan infeliz aquí como allá, pero estando acá, lejos, será más fácil para ti y yo no volveré a México hasta estar por lo menos resignado. Estando allá, todo me haría sufrir, pues todo en México me hablaría de ti y de nuestros amores. Se buena chiquita y sácame pronto de todo esto en la forma que sea; te prometo que seré fuerte y sabré aceptar lo que tú quieras. Yo, por mi parte, te repito una vez más, que te quiero con toda mi alma, que no hay más mujer para mí que tú y que cualquier deslealtad tuya me empujaría hasta el crimen. Piensa mi situación tan violenta, viviendo en esta casa que ya me quema tan sólo de oír los rumores y si no me he mudado, ha sido sólo por no confirmarlos con mi actitud. A todo el mundo digo que eres mi mujer y que si no me quedo más, es porque ya no puedo estar lejos de ti. Ahora si te vas a venir antes de que regrese yo, las cosas cambiarán de todos modos pues tú comprendes que yo no puedo estar tanto tiempo sin verte, ni tenerte, ni tú tampoco, y que aquí te esperan mil tentaciones y miles de hombres que te harán pedazos en cuanto llegues. Estoy loco, mi vida, ya no sé ni lo que estoy escribiendo y por lo mismo, voy a terminar pidiéndote que me escribas y me llames cuanto antes al recibo de esta. Por lo pronto, hoy he pedido hablar contigo; aún no me dan la comunicación, y ojalá que estés en tu casa para poderte oír y hablar contigo.

Salgo para Santiago el lunes 17 y de allí iré directamente a Lima y luego a donde... o mejor dicho, a donde tú quieras.

(margen izquierdo) ...y todo depende de tu contestación. No sabes con qué ansiedad la espero, pues en ella va toda mi alma. Te adora tu

Continuación de la carta de la página anterior.

5

Después de la tormenta...

Al no contar con bases que fundamentaran el supuesto amorío de la actriz con el cantante Hugo del Carril, el estruendoso cauce de notas escandalosas dejó de interesar. La crisis amorosa que por tal motivo enfrentaron ella y Jorge empezaba a ceder, alejándolos de la ruptura total. Todo indicaba que el amargo episodio fortaleció aún más su amor. Un amor que un año después, en los inicios de 1947, se encontraba en su máximo esplendor.

Cartas y más cartas de intenso amor volverían a llegar a manos de Gloria cuando le tocó viajar sola a Sudamérica, quedándose Jorge en México al frente de problemas sindicales, que por el momento le impedían reunirse con ella. Otra vez sus letras serían el lazo de unión, que para él significaban una forma de estar y hacer sentir a la persona amada que la distancia se acortaba cuando la honestidad de sus palabras era una tierna caricia al corazón. Cartas que reflejaban fielmente su nostalgia, su tristeza o momentos de infinita alegría, plasmados en esas líneas impregnadas de emoción y sentimiento por el propio protagonista:

Enero 2 de 1947

Viejita de mi alma:

Hace apenas unas horas que me has dejado sin ti. Unas cuan-

tas horas y ya no sé qué hacer, más que encerrarme en nuestro nidito y llorar como criatura.

Todo está lleno de ti, de tus manos, del contacto de todo tu
ser que cada rincón, cada objeto no hacen más que hablarme
de tu presencia y recordarme tu cruel ausencia. Ahora todo
se está llenando con mi dolor y con mis lágrimas, todo me
pregunta: ¿Por qué... por qué has dejado que se vaya? ¿Por
qué tenía que irse ahora cuando más felices eran..? cuando
más la necesitabas junto a ti. Y no sé qué contestar alma mía,
sólo sé llorar y llorar, con la esperanza de que mis sollozos
lleguen a ti y te envuelvan como te han envuelto mis caricias,
como te ha rodeado mi amor, desde el primer beso que te di.

Siento que estoy solo y una sensación angustiosa de vacío
llena mi alma y sube a mi garganta como si quisiera hacerme
gritar: vuelve mi vida, vuelve que me estoy muriendo sin verte, pero quiero ser valiente como en las películas. Debo ser
valiente y pensar que también tú tienes derecho a viajar, a
luchar en la forma que te dice tu voluntad y sobre todo debo
hacer a un lado mi egoísmo. Debo hacer todo esto, pero no
puedo, te extraño como a mi propia vida. Al irte te has llevado todo: mi amor, mi fe, mi voluntad y mi alma entera. Felizmente Dios N.S., que no me abandona, me ha dado la gracia
de mi familia y de mi hijita que harán que este dolor tan mío
sea llevadero y pueda tener resignación hasta que llegue el
momento dichoso de volver a tenerte en mis brazos.

Aunque lloraré todos los días de todas las semanas de
nuestra separación, hasta que llegue este mi tormento a su
fin. No te preocupes por mí, que ya sabes sólo vivo pensando
en ti. No aceptes malas compañías, no dejes que te envuelva
con su labia la gente mal intencionada, que sólo quiere tu
mal.

No dejes de hacerme saber de tus problemas, tus placeres y
tus necesidades. Cualquier cosa que se te ofrezca comuníca-
mela inmediatamente, pues resolviéndote tus cosas o haciendo algo que me mandes, darán consuelo a mi tristeza y harás
que me sienta otra vez cerca de ti.

Ya no puedo más amorcito, me ciegan las lágrimas y me es
imposible seguir escribiéndote, yo creía que sólo los ojos llo-

raban, pero no, estoy llorando con todo mi cuerpo. Mis manos, al igual que mi corazón, tiemblan y los dedos se me entorpecen. Así que no dejes de escribirme madrecita, que yo estaré esperando tus letras con angustia.

Que Dios N.S. y la S. Virgen de Guadalupe te cuiden y te protejan, y de tu pobre viejo, recibe un beso enorme con todas mis bendiciones. Te adora. Jorge.

Jorge se encontraba bajo una fuerte depresión. Días después, un tanto arrepentido de sus amargas palabras, le escribe nuevamente tratando de disculparse.

Enero 7 de 1947

Viejita adorada:

Según mis cálculos, debes haber llegado a Buenos Aires ayer por la noche. Por lo tanto, creo que hoy habrás recibido mi carta del día 2. Yo sé que no debí escribir en la forma en que lo hice, pero me es imposible creer y aceptar tu partida.

Me parece imposible que te hayas ido y todos los días al salir del estudio vengo aquí, al departamento, con la esperanza de encontrarte.

Mi carta anterior la escribí lleno de desesperación, ahogado en lágrimas y con este peso inmenso que no se va de mi pecho y que siento me asfixia. No creas que mi estado de ánimo ha mejorado mucho, estoy igual que el día que te fuiste. He buscado la compañía de tus amigos, que son los míos; Susana y Tony Aguilar, con los que he ido a cenar al "Minuit", pero no encuentro consuelo en ninguna parte, me pasa lo que dijo Amado Nervo: "Me sobra la mitad de mi lecho y mi falta la mitad de mis alas".

Solamente aquí en nuestro departamento, me siento un poco más tranquilo, pues creo estar más cerca de ti. Todo lo llenas tú, hasta el más pequeño de los rincones te extraña. No puedo olvidar así no más lo que juntos vivimos y juntos gozamos. De pronto me despierto a media noche y te busco junto a mí en la cama... Y para qué te digo lo que siento al recordar que no estás, que no puedo estar contigo.

Pero en fin, al menos siento o creo percibir el olor de tus cabellos y me hago a la idea de que te tengo estrechamente entre mis brazos. Y así, con la almohada tuya junto a mí, me duermo hasta que en la mañana despierto y vuelvo a buscarte. Así todos los días, todos los momentos que pasan en tu ausencia, hasta que Dios N.S. me haga la gracia de volver a reunirnos.

P.D. Viejita, por favor cómprame mis calzoncitos en la casa "Cervantes", tú ya sabes de cuales, del resorte número 2. Si puedes mándame inmediatamente siquiera una docena. Te lo agradezco... Te adora siempre, Jorge.

Con esta carta tan conmovedora, Gloria debió sentirse realizada al constatar lo que significaba en la vida de Jorge. Pero así como lloré conmovida por esas líneas cargadas de la tristeza y soledad que lo embargaban, mucho me sorprendió la "posdata". Por Jorge se podía experimentar una gran pasión o una infinita ternura... a veces parecía un niño grandote.

En Lima, ante las preguntas insistentes que la prensa hizo a Gloria respecto a su matrimonio con Jorge, nerviosamente y como única salida declaró que su enlace se había llevado a cabo dos años antes, siendo que ellos desde un principio decidieron vivir en unión libre, sin un papel que legalizara su amor.

Vivían como marido y mujer, se sentían una pareja integrada, tanto que sus amigos y conocidos los trataban como si en verdad formaran un matrimonio. Gloria escribió entonces a Jorge para ponerlo al tanto de su situación y lo que había comentado al respecto. Negrete, al final de una de sus cartas, le asegura:

P.D. Se me olvida decirte que yo no puedo enojarme por tus declaraciones en Lima. Por lo que a mí se refiere tú y yo somos marido y mujer desde el primer instante en que te besé.

Como buen enamorado, sabía hacer vibrar con sus palabras, las fibras más íntimas de Gloria. Qué importancia tenía pasar por momentos difíciles, provocados por la agotadora gira y los estragos que la separación le ocasionaban, si él siempre tenía la frase mágica para reanimarla.

Enero 13 de 1947

Adorada Negrita:

En este preciso momento me llega tu cartita fechada el seis de enero. Me dices que estás más flaca y más fea... Pobrecita mía, ¿qué no te has dado cuenta que Dios N.S. te trajo a este mundo para que vieramos la hermosura de su obra? ¿Cómo es posible que creas estar fea? Estés flaca, gorda, rubia, morena, alta o baja, para mí eres lo más hermoso que hay, y como buen enamorado te he de adorar como sea...

Una mujer romántica se conformaría con la mitad de esas frases halagadoras, sin duda envidiaría a Gloria por ser capaz de inspirar un amor así. Habrá otras modernas y emancipadas, que se concreten a decir con irónica sonrisa: ¡Tanta miel, sólo en hojuelas! Los tiempos cambian, ayer la relación de pareja surgía a partir del palpitar del corazón, hoy brota al compás de la hormona. Lo cierto es que Jorge fue un hombre cabal, capaz de abrir su corazón honestamente, sin importar caer en la vulnerabilidad.

Gloria también tenía lo suyo, esos ingredientes que acaban por rendir a cualquier hombre por muy macho que fuera. Su femineidad y comprensión significaron el más cálido refugio que Jorge podía tener; siendo que esté debía manejar la imagen inquebrantable de líder sindical expuesto a la guerra fría de sus detractores.

Ella era quien lo respaldaba en sus crisis, la única enterada que tras esa pose de hombre recio y bravo se escondía un ser débil y muy decepcionado de sus propios compañeros, que no cesaban de provocarlo en las asambleas que se organizaban casi a diario, por los problemas que enfrentaba el sindicato en aquel entonces.

Los más latosos, por así decirlo, eran "Los Cuates Castilla", Tito y Víctor Junco y Mario Moreno "Cantinflas", quienes gozaban interrumpiendo a Negrete, mientras éste exponía, explicaba y trataba de resolver los problemas que como gremio les aquejaban. Luego, cuando suponía que todo estaba entendido, intentaba pasar a otro asunto sin lograrlo, pues alguno de ellos, por el simple afán de molestar, le aseguraba risueño que no había entendido ni "jota"... Reacciones infantiles que debido a su seriedad y sentido de responsabilidad casi angustiante, lo hacían rabiar, al extremo que en ocasiones no podía calmarse, dejándolo en crisis total. A Jorge Negrete se le considera en la actualidad como un héroe, el "padre" del Sindicato de la Producción, pero en su tiempo fue un hombre muy discutido. Mucha gente objetaba lo que él proponía y lo combatían incluso ayudados por la prensa, que en gran parte estaba en su contra.

Es innegable que él se entregó por completo a esta faceta de su vida. Lo agredían sin razón, pero es comprensible si tomamos en cuenta que para ellos era la única oportunidad de impugnar a alguien tan importante como Negrete.

Nadie más que Gloria para saber lo que todos estos conflictos le provocaban; a ella sí le confiaba sus más íntimos pesares y la terrible impotencia que sentía por no saber controlar la situación como quería, por verse traicionado por los que se decían "amigos" y compañeros de causa:

Enero 16 de 1947

Mi viejita adorada:

¡Ya no puedo más..! Ésta es la segunda carta que te escribo hoy. Estoy desesperado, sin noticias tuyas, sin el consuelo enorme de tus letras, y yo solo, siempre solo en nuestro departamento a donde vengo a buscar un poquito de consuelo, buscándote a ti sin encontrarlo, sin encontrarte, jamás creí que pudiera sufrir tanto.

Si me vieras, con cuántas lágrimas llorarías también, estoy como alelado, parezco un autómata que voy y vengo sin objeto determinado. Me dan la espalda los "amigos", todos me atacan cada vez más duramente. Los periódicos y los compañeros me critican más que nunca, y yo sin ti, sin el remanso de tus caricias y de tus palabras.

Todo es más duro, se carga más. Nada me importa lo que me digan unos y otros, pues mi corazón y mi pensamiento no tienen cabida más que para amarte con la fuerza inconcebible de mi corazón, con la serenidad y justedad de mi cerebro y con cada uno de sus movimientos o sensaciones.

Contigo a mi lado me río de todo y todos, sin ti no puedo ni eso, ni reírme, porque cuando quiero hacerlo, solamente salen ahogados sollozos de mi garganta y lágrimas amargas de mis ojos. Parece mentira ¿verdad prietita?, parece mentira que Jorge Negrete pueda hablar y sentir así, pero así es. Todas y cada una de las cosas que te he dicho son la realidad en mi vida actual, sinceramente te lo digo, pues no tengo orgullo ni nada que me lo impida; eso eres tú para mí... Aún más, que Dios N.S. me perdone, pero, salvo los momentos que paso al lado de mi hijita linda, no tengo más que penas y sufrimientos.

Por todo esto negrita mía, ten compasión y acuérdate más de mí. No me olvides porque tú eres muy buena y me quieres, estoy seguro que no deseas que tu pobre viejo sufra tanto. Ya es bastante tu ausencia para sufrir, pero si además no me escribes, no sé si podré aguantarlo. Perdóname alma mía, perdóname si te he dado un mal rato con mis cosas. Hasta mañana vida mía, Que Dios N.S. te bendiga y te llene de felicidad.

Te adora siempre.

Jorge

Tres días después, Gloria recibe otra carta donde Jorge, mostrándose como un chiquillo, le da cuenta exacta de todo lo que hace durante el día:

19 de enero de 1947

Adorada viejita:

Nunca como ahora he palpado la distancia que nos separa y eso me hace un efecto de desdicha enorme, pero en fin, falta poco para reunirnos.

Anoche fui al frontón con Nico y me aburrí enormemente. Me la pasé hablando con "Cantinflas" acerca de varias cosas que hay pendientes, y él será quien tenga que resolverlas al irme yo. Hoy por fin me animé a ir a los toros, también con Nico, y eso porque el cartel era muy bueno: Garza, Manolete y Vizcaíno con toros de San Mateo. Desgraciadamente el ganado fue pésimo, Garza dio la bronca y Manolete salió lastimado. Fue tan dura la bronca que la policía tuvo que echar bombas de gas lacrimógeno, y si vieras a Nico, te ibas a reír de veras, pues tiene los ojos como tomates maduros. Yo llevaba anteojos y fue poco lo que me afectó, además de salir ileso del escándalo. Así que ya ves, amorcito mío, nunca voy a ningún lado y cuando lo hago, algo sucede que viene a deprimirme más. Hasta pronto mi amor, pórtate bien y acuérdate aunque sea a ratos y reza un Padre Nuestro por tu viejo que te idolatra.

Tuyo siempre. Jorge.

Su estancia en Argentina la mantenía alejada de todo cuanto acontecía en el medio artístico de México, era él quien se ocupaba de tenerla informada de cuanto chisme surgía de las estrellas: Libertad Lamarque, María Félix y otros:

Enero 22 de 1947

Adorada mujercita mía:

Ayer te decía lo enfermo que está mi padre. Pues bien, lo ha ido a ver el Dr. Fraile, un español que, según dicen, es notable y ya veremos lo que opina. De todos modos se ha sentido mejor hoy y estoy seguro que Dios N.S. no permitirá que nada grave le ocurra. No quiero que te vayas a preocupar de esto, pues tengo confianza de que la Virgen de Guadalupe me lo ha de cuidar muchos años más.

Ya tengo todo listo para alcanzarte, boleto, pasaporte, todo. Me gustaría que fueras a Montevideo a esperarme si lo crees factible, pero si no, nos veremos en el puerto aéreo. Recibí tu cariñoso cable y no puedo pedir más. Yo he estado un poco malo, estoy muy flaco y sin ganas de nada.

Hoy por la noche tendremos junta del Comité Central para tratar la incalificable actitud de Genaro Núñez, que de plano se ha rebelado en contra nuestra, ya luego te explicaré todo... Y va el chisme: fíjate que Tito Novaro, Isabela Corona y otros más de su calaña, se pasaron al STIC, que disque porque el STPC no había hecho nada por conseguirles trabajo.

Nosotros nos alegramos mucho de que estos elementos inútiles se marquen solos con el estigma de la traición, pues en vez de hacernos daño nos benefician al eliminarnos de sus problemas personales. El movimiento de artistas y músicos de la XEW ha tomado mucha fuerza en contra de Azcárraga y parece que tiene posibilidades de triunfo. Libertad Lamarque está insoportable, parece niñita chiquita, ¡si vieras los ridículos que hace..! No come por no gastar y el marido no la va a ver trabajar por no gastar los cinco pesos de taxi extra, éstos sí que son bien agarrados. Nosotros de esos tenemos muchos, pero los argentinos nos dejan muy atrás. Debe quererte mucho para haberte dado el regalo que te dio.

La película parece que va muy bien, este señor indudablemente sabe lo que está haciendo y aunque el asunto no es nada extraordinario creo que está haciendo una buena película. Tocando este punto, fíjate que María Félix se ha negado y con toda razón, a cumplir el contrato de filmar la película con Arturo de Córdoba. Resulta que le presentaron un argumento que le gustó mucho y lo aceptó, pero Gavaldón, al hacer la adaptación, creó un papel más dentro de la trama para dárselo naturalmente a la "Bizcorneta", como le dices *tú a la Granados, y ahí ardió troya, pues María dijo que ella no se prestaba a hacerle el juego a esa señora y mandó a todos, tú ya sabes a dónde.*

El lunes próximo se inaugura nuestro edificio, y te digo amorcito, que me hubiera sentido el más feliz de los hombres, si estuvieras ese gran día conmigo, pero "di bodo", como dices tú, ya te contaré cómo estuvo.

Ésta será mi última intervención de importancia en el Sindicato y con ella entierro mis actividades de esa especie. No más líos ni preocupaciones, ¡se acabó!

P.D. Te mando un "close up" de la película para que veas cómo estoy, ¡vale!

Te adora siempre. Jorge.

La película a que Jorge hace mención fue "Gran Casino", dirigida por Luis Buñuel, quien incursionaba en cine comercial; cuando a él se le caracterizaba por ser un director de búsqueda y propuesta.

En este filme la actriz Libertad Lamarque ostentó los primeros créditos, era su primera película en el cine mexicano. Llegó a nuestro país como quien dice "chiqueándose", y pronto llegó a ser la niña mimada de los que en esta producción participaron: Julio Villarreal, Agustín Isunza y Mercedes Barba, entre otros. A Jorge lo tenía harto con sus desplantes, deseando terminar cuanto antes el rodaje para reunirse con Gloria; por lo que se apresuró a ordenar sus asuntos, sin dejar de enterarla de cada paso que daba durante ese largo y martirizante mes que pasó lejos de ella. No exagero al afirmar que era su obsesión; contaba los días, las horas y los instantes que le faltaban para estar a su lado.

Enero 23 de 1947

Vida mía:

Un día más en nuestras vidas y uno menos separados. Ahora sí ya no puedo más, cada vez que lo pienso me parece que el tiempo y que todo camina con una lentitud desesperante. Los días son cada vez más largos y tu ausencia más amarga. Llevo la cuenta y no la pierdo ni un momento durante el día y la noche. Me digo constantemente: "hoy hace tantos días que se fue mi mujercita, ya faltan solamente tantos para ir a su lado, más tantos días que dura el viaje, dentro de tantos estaré con ella".

Así estoy diariamente. Hoy por ejemplo, fuimos a trabajar a la estación de San Lázaro, ya te imaginarás el gentío; nos ocasionó materialmente que no pudieramos trabajar, pues la gente estaba encima de nosotros constantemente... Bueno, pues desde que desperté empecé con la cuenta de los días que hace que te fuiste y de los que me faltan para salir y llegar a estar contigo. Me decía a mí mismo: "Hace ya 22 días que mi prietita me dejó, lo que he pasado en este tiempo sólo yo y Dios lo sabemos. Para salir me faltan 13 días, más cuatro para llegar a ella, son diez y siete, ¡que pena Dios mío!".

Todavía 17 días sin verla, sin oírla, sin sentirla palpitando junto a mí. Diez y siete días en los que ella estará sonriendo a otras personas, hablando con otra gente, mirando a otras personas. Cuando esas sonrisas, esas palabras y esas miradas deberían ser sólo para mí. Así me torturo diariamente y sin descanso, por el vacío que me dejaste.

Pues bien, estaba yo tan abstraído en estas reflexiones, que cuando menos lo pensé ya estaba en la estación parado frente a la cámara y diciendo esto, en lugar del diálogo: "siete días más de espera". Así que ya ves, amorcito, la vida mía sólo eres tú, y aunque yo quisiera no podría dejar de quererte jamás.

Yo te adoro, te respeto y te venero hasta la exageración. Nadie puede decirte que me vieron en compañía, ni siquiera con amistades tuyas. Mi tristeza es tanta, que cada vez que veo pasar un avión se llenan de lágrimas mis ojos. Se me figura que me necesitas enormemente y ésto unido a mi desesperación, al deseo tan grande de tenerte y respirar tu aliento, me hacen sentir que me has cortado la mitad de mi cuerpo, de mis facultades y de todo mi ser. Mi pensamiento *no lo ocupa nadie más que mi negrita adorada, que me dejó solo sin aliento para nada.*

Dios N.S. me permita con felicidad llegar a ti y con felicidad compensar todos estos amargos días... siglos mejor dicho, que he pasado sin ti. Sólo falta una semana más para terminar la película y después tú y yo juntos para siempre.

Te adora Jorge.

Poco faltaba ya para esa fecha; el ánimo del cantante había cambiado y esa actitud depresiva y un tanto amarga que lo caracterizaba, se borraba por arte de magia, se abría ante él un panorama distinto:

Enero 26 de 1947

Adorada mujercita mía:

Ya se va acercando más la fecha feliz de mi partida. Estoy como el muchacho a quien por primera vez lo dejan salir solo a la calle, ansioso por ver al mundo y de ver realizados sus más queridos sueños y proyectos.

Imagínate que vas a ir a la fiesta más rumbosa y alegre del pueblo, que hace muchos días te has preparado para ella y ya no aguantas más la espera... por fin, cuando llega esa fecha, todo parece brillar con una luz especial, las personas parecen mejores, las sonrisas son amables y amistosas y las calles, los autos y los árboles, todos parecen decir: hasta luego y muy feliz viaje. Y yo, mi vida, orgulloso y desesperado al mismo tiempo, me llevo todas esas expresiones felices que me rodean. Imagínate ese cuadro amorcito, mientras más se acerca el tiempo, parece que trabajo con más ahínco, con entusiasmo, seguramente por terminar rápido y estar seguro que puedo irme sin preocupaciones, por haber dejado todo resuelto.

Estoy loco por imaginarme cómo te encontrarás a mi llegada, mira: primero veré el puerto aéreo que va aproximán-

dose al avión y luego de derecha a izquierda las casas y construcciones de Buenos Aires. Luego, al virar el avión para tomar la pista, me empezará a latir el corazón con mucha fuerza al ver que nos aproximamos a la tierra... Por fin llegaremos y después de tomar el lugar indicado para el desembarque, se detendrá el aparato y mientras acercan la escalerilla te estaré buscando amorosamente.

Veré entonces tu carita adorada y tu figura tan querida para mí. Sentiré un nudo en la garganta y unos deseos inmensos de saltar por la ventana, no deseando otra cosa que correr a tus brazos y refugiarme en ellos para llorar de felicidad, sintiéndote otra vez y para siempre junto a mí.

Me llevarás a conocer nuestro departamento y daremos órdenes de que nadie nos moleste, pues tengo tantas cosas que decirte y tantas caricias contenidas que hacerte, que cualquiera sería inoportuno y así se lo haría yo saber... Sólo, hasta después de habernos entregado al amor, me dirás todo lo que has hecho, los lugares que has conocido y si me has extrañado aunque sea un poquito. Estas escenas son las que vivo a diario en mi pensamiento, y vieras mujercita que parece que en verdad están sucediendo cuando lo pienso, será porque concentro mi mente en ellas totalmente.

Por favor no digas a nadie de mi llegada, pues cualquier recepción me distraería de ti y no quiero ver a nadie que no sea a mi negrita linda. Hasta mañana mi vida, que Dios te bendiga y que te ilumine para que me quieras un poquito más ¿vale?

Te adora siempre. Jorge.

La llegada de Jorge a Argentina estaba programada para los primeros días de febrero, pero debido a la impaciencia, Gloria olvidó el día y la hora exacta, acudiendo tres días seguidos al aeropuerto inútilmente, hasta que por fin pudieron volver a reunirse.

El encuentro se dio justo en la salita de llegada, donde sus cuerpos se unieron en un abrazo tan prolongado causando el asombro de la gente que no entendía el por qué de su apuro, ni la vehemencia de sus besos. Luego tomaron las valijas para dirigirse al departamento que con tanto empeño había decorado Gloria, convirtiéndolo en la mejor guarida de enamorados. Lugar ideal para dedicarse el uno al otro, alimentándose únicamente de esa asignatura que tenían pendiente: el amor.

Conociendo la pasión de Jorge, ni duda cabe que ese rito postergado, tan largamente ansiado, debió haber sido una obra maestra de amor y erotismo (cinematográficamente hablando), pero con todos los derechos a la censura, ¿clasificación..?, ¡sólo para ellos!

En verdad que en ese tiempo debieron sentirse privilegiados, lo tenían todo. Se amaban como nunca, gozaban de gran popularidad, del cariño del público, y como artistas eran los más cotizados. Habían llegado a Argentina para realizar una temporada corta de teatro con la obra "Luna de miel para tres", logrando tal éxito, que se quedaron siete meses presentándose en el Teatro Alvear.

Gloria escribía con regularidad a su madre para informarle de su éxito artístico y personal. Le confiaba todo; doña Laura, más que una madre, llegó a ser su confidente, una entrañable amiga y su apoyo incondicional.

Abril 20 de 1947

Adorada madrecita:

Esta es la tercer carta que te escribo y aún no tengo respuesta tuya, escríbeme. Se que te encuentras bien y eso hace menos triste la lejanía. Por mí no te preocupes, fuera de esta distancia que nos separa, por lo demás estoy bien. Jorge cada día es más bueno conmigo, me consiente y me cuida como si fuera una niña chiquita. No me deja abrir ni la boca para que no me moleste.

Figúrate mamacita, que el otro día que me dio una jaqueca (de esas que me dan a mí) lo hubieras visto cómo se puso. En seguida llamó al médico y armó un relajo que ¡para qué te cuento! A cada persona que hablaba le decía que estaba muy triste por mi enfermedad. Lo malo es que después de tomar una pastilla y sentirme mejor, salimos al cine y me causó gracia ver la cara de la gente que pensaba estaba yo gravísima. Como verás, me trata como a una reina, y por si fuera poco, acaba de regalarme un broche de brillantes precioso, por lo que parece le costó un dineral. En fin, que estoy muy contenta. Salúdame a todos por allá. Con el cariño de tu hija que te adora... Gloria.

La estancia de los dos en aquel país, así como sus múltiples compromisos, los tenían prácticamente alejados de los sucesos más importantes que se desarrollaban en México. Ahora era doña Laura quien los mantenía informados. A ella le gustaba narrar con todo detalle los chismes más sabrosos de la farándula... en su muy particular forma de verlos. Gran cantidad de hojas ocupaban sus cartas, que de poder agruparlas, seguro sería vasto material para editar un libro:

Mayo 14 de 1947

Hijita adorada:

No sabes lo que te extraño y la falta que me haces. Dios quiera que continúes gozando del éxito y del amor de Jorge, que es mi mayor deseo.

Hijita, fíjate que el productor don Jesús Grovas anda diciendo que tienes que venir a hacer una película con él este año. Igual sucede con Armando Calvo, que te pidió de pareja en no sé qué película. Lo estuvieron engañando con que sí venías y a la mera hora le pusieron otra "estrella", y no tuvo más remedio que aceptar. No sabes cómo insistió diciendo que tú eras una magnífica compañera y que con nadie se trabajaba más agusto que contigo, ¿cómo ves mi linda preciosa?

Pero basta de elogios, si no te voy a echar a perder. Mejor te platico de los respetabilísimos señores del Sindicato de la Producción; están trabajando tan bien y bonito, que figúrate que el Lírico, Ideal y Fábregas están cerrados. También a la carpa La Libertad la clausuraron y los pobres actores andan apuradísimos sin trabajo. Todos extrañan mucho a Jorge, aun sus enemigos, pues la actual mesa directiva no da pie con bola.

Imagínate que Rafael Baledón está toreando novillos en el "Circo Atayde", ¿qué te parece..? Y Don Arturo de Córdoba se dedica a relatar episodios policiacos en la "W". De películas, están saliendo puros "churros", tan malos, que los estrenan en el cine Savoy y Colonial. Dicen que el señor Guthman se fue completamente decepcionado del cine mexicano. Bueno, creo que ya estuvo bien de periódico, ¿verdad? En mi próxima te contaré más chismes. Cuídate y dale mis saludos a Jorgito, al que no dejo de agradecer el amor que te tiene. Te adora, tu mamá.

Viernes 6 de junio 1947

Inolvidable hijita linda:

No sabes lo preocupada que estoy al saber que estás enferma. Tú dirás que es un simple catarro, pero de sobra sabes lo delicada que eres. Fui a ofrecer flores a la iglesia de Santa Teresita de Las Lomas y le pedí por ti a la Virgencita para que te dé salud y felicidad. Y por primera vez hijita linda (te lo confieso) le di gracias, porque a pesar de las muchas amarguras y lágrimas que me han costado estar separada de ti, te ha alejado de este ambiente infernal por el que atraviesa en este momento el cine.

He oído comentar que esto parece una olla de grillos. Dicen que la mayoría de las segundas y terceras partes están muy descontentas con la nueva mesa directiva, pues no tienen trabajo y los que tienen, les han rebajado el sueldo, por esa razón ya piensan pasarse al STIC. Cada día reconocen más la labor de Jorge, pues Mario Moreno "Cantinflas" no hace nada, se concreta a oír y callar. En fin, que ésta es una situación espantosa y de todo esto me entero por los periódi-

Gloria y Jorge rodeados de amigos después de la presentación de la obra teatral "Luna de Miel para Tres", en Buenos Aires, Argentina, en 1947.

Francisco Canaro, Gloria y Jorge, durante la temporada de teatro que la pareja llevó a cabo en Buenos Aires. También los argentinos aclamaron a la sensacional pareja.

Julio 21 de 1947. Buenos Aires.

Querida hermana: mucho gusto me
dió recibir tus cariñosas aunque un poco tardadas
letras, yo estoy bien en lo que toca a salud,
pero como me imagino ya sabes la desgracia
tan grande que le a ocurrido a Jorge, espiritual
y moralmente como estoy, no quiero ni decirte,
figúrate que yo estaba bañándome cuando lle-
go un cable dirigido a mí, y cosa que nunca
a hecho Jorge en seis años que tenemos pues
nunca abre mi correspondencia, ese día sí
le ocurrió abrir el cable, y resultó que era
de David, donde me decía que con delica-
deza le diera yo a Jorge la noticia de la
muerte de su padre, imagínate nada menos
la impresión que recibió, y más, que cuatro
días antes había recibido una carta del
señor donde le decía que estaba muy bien
y muy contento por que ya iba a recoger
la cosecha del rancho... no tienes idea
lo que ha sido esto para el suegro, ahora
está un poco mas calmado, pero yo creo
que es peor, pues como le digo a mamá
es el dolor reflexivo, ese dolor que nos hace
ver con mas claridad todas las cosas,
yo estoy bastante preocupada, pues ha
enflaquecido enormemente, casi no habla
con nadie, y su único comentario es decir
que no lo cré.. que no puede ser posible.
Pero esperemos en Dios, que le mande
resignación y fuerzas para sobreponerse.

Facsimilar de una carta de Gloria a su hermana.

cos... De cerca las cosas deben estar peor. Bendito sea Dios que Jorgito se libró de tanta ingratitud de toda esta gente.

El tonto canalla del periodistero "Lumiére", publicó hace unos días que tú y Jorge habían rescindido sus contratos de películas en Buenos Aires y que están por terminar la temporada de teatro. Que pronto regresan, alterando así los proyectos de gira que tenían pensado hacer cuando se ausentaron de aquí, por causas que no podía decir, pues había un denso velo que cubría todo, ¿qué te parece el muy idiota?

Morales Ortiz se ha dedicado a desmentir en su periódico todo lo que dijo "Lumiére". Con ésta te mando los recortes. Qué bueno mi negrita que sigues trabajando con tanto éxito allá. Dios y La Virgen los tiene que seguir ayudando, librando de tanto chisme y tanta intriga de gente envidiosa de la felicidad de ustedes. Dale a Jorgito un recuerdo muy afectuoso. Dios lo compensará por cuidarte con tanto esmero. Yo de todo corazón se lo agradezco. Con mis bendiciones y mi corazón entero.

Mami Laura.

A ellos no sólo los unía una atracción física, un lazo así se hubiera debilitado en los primeros años. Coincidían también en la lucha constante por alimentar su espíritu, por fortalecer su fe en Dios y en el respeto que prodigaban a sus padres. Si bien es cierto que Gloria no era del todo aceptada por su familia política; intentó que esto no fuera motivo de conflicto ni alejamiento entre ellos. Pocas veces visitaba la casa de doña Emilia, pero cuando lo hacía para darle gusto a su marido por tratarse de un convivio familiar, acababan por ignorarla. Se concretaba a oír, callar y mirar hacia el infinito con una actitud de: ¡Dios mío te ofrezco este sacrificio en nombre de mi amor!

Ella no sería la única mujer que al estar ligada sentimentalmente a Jorge fuera tratada así. Cuando tocó su turno a María Félix y probó de esa "sopa", llegó a comentar con toda sinceridad: "Después de conocer a la familia de Jorge, admiro más a Gloria Marín".

Para doña Emilia no existía mujer merecedora del amor de su hijo, todas le parecían poca cosa, empezando por Elisa Christy, bailarina

Jorge y Gloria durante un descanso de la obra de teatro "Luna de Miel para Tres", en Argentina.

de profesión, quien se negó rotundamente a dejar de bailar, a pesar de la oposición de Negrete, siendo una de las causas del rechazo de su suegra. Luego vendría Gloria, cargando con el estigma de aceptar el amor de un hombre casado, y para colmo, hija de una "bataclana", despectivamente llamada así doña Laura por haber trabajado como tiple en la compañía de María Conesa. La Félix no cayó en blandito, pero defendió su sitio hasta con las uñas, imponiendo límites. La madre de Jorge estaba acostumbrada a ejercer el matriarcado, al grado de intentar extenderlo en la vida de su hijo.

Otro tipo de persona era don David, padre consciente, discreto y comprensivo. Entendía que el amor de su hijo era indiscutible, por lo que se dedicó a apoyar a la pareja en lo que podía. Por desgracia ya para entonces se encontraba grave, provocando la angustia constante de Jorge, más que nada, por sentir la impotencia de encontrarse lejos de él, en Argentina, y sujeto a compromisos de trabajo ineludibles. Sus temores los confirmaría el 10 de julio al llegar un cable de su hermano David, dirigido a Gloria con carácter urgente:

Malabia 2801 Sexto A Baires.

Srita. Gloria Marín

Delicadamente avisa a Jorge. Papá murió hoy. David Negrete.

Más tarde la actriz narraría este triste episodio a su hermana María Luisa:

Buenos Aires   *Julio 21 de 1947*

Querida hermana:

Como me imagino, ya sabrás la desgracia tan grande que le ha ocurrido a Jorge. Espiritual y emocionalmente cómo está, no quiero ni decírtelo. Figúrate que yo me estaba bañando cuando llegó un cable dirigido a mí, y cosa que no ha hecho Jorge en seis años que llevamos juntos, pues nun-

ca ha abierto mi correspondencia; ese día se le ocurrió hacerlo y resulta que era de David, donde me decía que delicadamente le diera a Jorge la noticia de la muerte de su padre.

Imagínate nada más la impresión que se llevó, y más cuando hace apenas unos días recibió una carta del señor donde le decía que estaba muy contento porque ya iba a recoger la cosecha del rancho. No sabes lo que ha sido todo esto para el Negro; ahora está un poco más calmado, pero creo que es peor, pues como le digo a mamá, es el dolor reflexivo, ese dolor que nos hace ver con más claridad las cosas. Yo estoy preocupada, casi no habla con nadie y su único comentario es decir que no lo cree, que no puede ser posible.

Si tú lo vieras llorar como lo he visto yo, te aseguro que hay momentos en que me revelo, que Dios me perdone, pero no dejo de preguntarme ¿por qué Diosito, que es tan misericordioso y la bondad máxima, puede ver sufrir así a una persona tan noble; uno de sus hijos, al que le ha mandado un dolor tan grande?

En lo que respecta a mí, figúrate cómo estoy al ver a un hombrón, que es toda firmeza de carácter, en ese estado. Así que sufro por él y por ese viejito bueno que estoy segura fue el único amigo en esa familia que tuvo para mí palabras de afecto, simpatía y atenciones. Que Dios N.S. todopoderoso, le dé el descanso que se merece a un hombre tan bueno y que desde el cielo vele por su hijo que tanto le llora...

Un hijo que en don David encontró a un guía, parte de su fortaleza, significando su muerte una pérdida irreperable. Asimismo para Gloria, quien de pronto tuvo que enfrentar la ausencia del cómplice, del único aliado, la voz amable que rompía con la frialdad de los otros familiares, por el simple hecho de ser la elegida en el corazón de Jorge.

Pocos días después, ella recibe una carta de su madre donde le confiesa que presenció el entierro de su suegro en condiciones un tanto extrañas:

Adorada hijita mía:

No sabes lo triste que me ha puesto la muerte del papá de tu Negro. Sé lo mucho que él lo adoraba y la falta inmensa que sentirá por su ausencia. Como tú comprenderás, su gente no nos quiere y me fue difícil darle el último adiós a ese señor, aunque fuera de lejos. Así que esperé a que todos se retirarán para acercarme a la tumba y dejarle las flores que me pediste pusiera a tu nombre. Sé lo mucho que él te apoyó a pesar de todo, eso mi hijita, se agradece toda la vida.

No le enseñes esta carta a tu Negro, pues me daría mucha pena por él que supiera me escondí atrás de un árbol mientras enterraban a su padre. Ya sabes hijita, esa gente nos rechaza, pero si ellos eran en este caso los principales afectados, no tenía ningún derecho a molestarlos con mi persona. Sé que Jorge se sentirá apenado por todo esto y lo mejor es que no se le mortifique con estas situaciones penosas.

Ojalá y tenga pronta resignación y tú, mi linda, también te dejes de tristezas para que puedas seguir disfrutando de ese amor que sólo se concibe en dos personas tan afines y tan buenas como tú y Jorge. Dale mis cariños a él y tú recibe de tu madre todo su amor.

Mami Laura

Los familiares de Jorge llamaban a Doña Laura, en forma despectiva, "La Bataclana", cuando en realidad se educó en un ambiente refinado. Siendo muy joven aprendió a tocar el piano, bordar, pintar y leer poesía. Se casó por primera vez con un Inglés que la dejó viuda al poco tiempo y con la gran responsabilidad de criar tres hijos.

Sus padres murieron poco después de efectuada la boda y prácticamente enfrentó sola la problemática de educar y sacar adelante a sus hijos. Dominaba los idiomas francés e inglés, pero eso en aquella época, fuera de darle un toque aristocrático, no le servía para sacar a flote una familia. Posteriormente, alguien la escuchó cantar y de inmediato le sugirió que podía trabajar en el teatro, en las famosas tandas del Principal, donde se daban a conocer la zarzuela y la opereta.

Doña Laura aceptó a pesar del repudio de la sociedad poblana. No se explicaban tal decisión de una chica femenina, delicada e hija de

Del Álbum Familiar

Gloria Marín a los 9 años; desde entonces soñaba con ser una gran actriz.

Gloria en sus años de adolescencia, cuando trabajaba en el teatro dirigida por su mamá.

un señor conocido, como lo era su padre. Aun así, se entregó al teatro donde conoció al que más tarde fuera el padre de Gloria, don Pedro Méndez Armendáriz, conocido industrial, quien al afianzar su relación, la retiró de trabajar. Ella no volvió a pisar un escenario, hasta después de enfrentar el inevitable divorcio.

Gloria estaba muy pequeña cuando su madre retomó la carrera artística, no obstante, aquel ambiente de lienzo y oropel la volvían loca, actitud que le preocupaba a doña Laura quien se negaba rotunda a que sus hijos abrazaran su misma profesión. Inútil sería el caso de su hija menor, el teatro ya había dejado honda huella en su sensibilidad artística.

Su primera oportunidad se le presentó cuando apenas contaba con cinco años. Se encontraba entre bambalinas observando la función, cuando se enteró que la tiple cómica, anunciada ante el público minutos antes, no había asistido a trabajar; situación que aprovechó para salir al escenario, pidiendo al maestro de la orquesta que la acompañara al piano con "La mocosita", todo esto frente a la gente que no atinaba a entender lo que estaba pasando. En vano su madre le lanzaría fruncida mirada objetando su atrevimiento. La niña no se bajaría de ahí, hasta haber cantado con gran soltura aquel tango de moda; actuación que terminaría entre risas y aplausos. Éxito que Gloria convertiría en magnífico salario, cobró cinco pesos por su "extraordinario" trabajo.

Finalmente acabó por convencer a su madre de su vena artística y la propia doña Laura organizó un grupo infantil de teatro que se presentaba los domingos, obviamente con obras del mismo género que para adultos, pero sintetizadas y de forma sencilla que pudieran ser entendidas por los niños.

Más tarde Gloria formó un dueto con su hermana Lilí llamado "Las hermanitas Marín". Recorrieron infinidad de poblaciones, siempre viajando en incómodo camión, para luego de la función, tomar sus triques y transportarse a otra parte.

Siendo muy jovencitas y en plena Revolución de los Cristeros, se presentaron en el estado de Jalisco. El ambiente que ahí reinaba no era el idóneo para esas chicas; sin embargo, se propusieron presentar como siempre la función, sin imaginar que el mismo empresario le aconsejaría a doña Laura sacarlas de ahí, pues se había enterado que unos políticos estaban conspirando para repartirse a las niñas después del espectáculo: Gloria sería para el secretario, su hermana Lilí para el gobernador. Así que sin cambiarse de ropa, las tomó de la mano y huyó cuanto antes de aquel lugar.

No se refugiaron en su hogar porque su vida era parar en hoteles y casas de huéspedes. Su educación escolar se dio prácticamente con las clases que eventualmente tomaban con diferentes maestros que su madre les contrataba en los poblados donde paraban.

Luego, ya instaladas en la capital, Gloria se vio obligada a estudiar en forma la secundaria. Esto, sin interrumpir su trabajo; las tareas escolares las realizaba de las doce de la noche en adelante... su recreo era la actuación.

Para ese entonces sus hermanos mayores ya estaban casados, por lo que cuando pudieron vivir por fin en familia, ésta la constituía doña Laura, Gloria y Lilí. A esta última nunca acabó por gustarle el medio artístico y se retiró al casarse con un empresario; su única participación cinematográfica al lado de su hermana fue en la película "La tía de las muchachas". En cambio a Gloria la apasionaba, de teatro se aprendía de memoria las obras de Shakespeare y estuvo siempre alerta a las oportunidades que le ofrecían para trabajar.

René Cardona fue quien la motivó para realizar en cine "Don Juan Tenorio", Gloria no podía creerlo. "Tú criatura —le decía— serás La Inés. Sólo bastará hacerte unas pruebas". En efecto, se las realizaron pero retrató tan mal, que Cardona se disculpó: "¡Qué pena Gloria, que una cara como la tuya, esté en un cuerpo como el que tienes!".

En verdad que Gloria era gorda, incluso un periodista publicó: "Los muslos de la tipletista Marín son solamente equiparables a las columnas del Momumento a la Revolución", que para entonces estaba en construcción. Golpe bajo a su vanidad, pero muy positivo, si tomamos en cuenta que a partir de ese momento decidió bajar de peso, logrando quitarse 20 kilos de encima... pesaba 87. ¡Qué ironía!, luego sería reconocida como una de las artistas de talle más breve.

Anteriormente no existían los métodos sofisticados que hay actualmente para adelgazar. ¿Cuántas de ayer no hubieran vendido su alma al diablo, si por conseguir escultural silueta les hubieran ofrecido el un dos por tres de la liposucción?, dejando a una gorda, a punto de varita de nardo.

Lo cierto es que Gloria se sometió todo un año a una tormentosa dieta a base de verduras y frutas, frutas y verduras, baños de vapor y masajes para moldear su cuerpo. La cámara es cruel, y si había que lucir si no delgada, al menos proporcionada, para Gloria representó todo un triunfo.

Cuando quedo más o menos aceptable, el productor Alfonso Sánchez Tello le ofreció el papel de novia de Joaquín Pardavé en "Los millones de Chaflán". Algo logró con esta participación, pues fue reconocida como una cara bonita y se le ofreció trabajo en cortometrajes, hoy conocidos como comerciales, en los que, junto con "Cantinflas", anunciaba a la Chevrolet y la Canada Dry. En esa época los dos empezaban su carrera en el cine. Ella se había dedicado íntegramente al teatro y "Cantinflas" se presentaba en carpas como "El Salón Rojo".

Años después los dos obtendrían una posición envidiable en el cine y vendría el éxito como premio a su dedicación y entrega a una profesión, que aparte del talento, necesita mucho estómago.

Su éxito en Argentina la colocaba como una de las mejores actrices de comedia al interpretar, junto con Jorge, la obra de teatro "Luna de miel para tres", con llenos impresionantes. Todo le sonreía, hasta que llegó de México la noticia de la muerte de su suegro, que vino a repercutir mucho en el ánimo del cantante.

Para ellos fue muy difícil reponerse de la muerte de don David. Un hombre noble, que aspiró más que nada en la vida, a que su hijo encontrara la paz y la felicidad. Él fue quien más sufrió y se preocupó por aconsejarlo respecto a su profesión, la que muchas veces se vio afectada por la pésima relación que sostenía el artista con la prensa. Sabía que esa actitud áspera y agresiva le granjeaba muchas antipatías y siempre buscó la manera de ayudarlo evitando, en gran medida, cesaran los ataques de que era objeto su hijo. Críticas que muy en su interior le dolían a Negrete e incluso llegaron a repercutir en su salud.

Es innegable que muchas veces se le atacó única y exclusivamente por motivos personales. Tal fue el caso del periodista Roberto Cantú Roberts, quien para entonces fungía como director de la revista "Cinema Reporter". Al parecer, cuando Gloria y Jorge se enamoraron, la actriz sostenía relaciones con él. Era obvio que no podía soportar verse desplazado y cuantas veces podía, lo atacaba por medio de sus notas.

Cantú se caracterizaba por ser un hombre simpático, cordial, un *bon vivant*, muy hecho a la vida nocturna, y por lo mismo, aceptado por la mayoría. No de la misma manera por Jorge, quien ante los ataques del periodista, invariablemente le mandaba decir que le rompería la cara en cuanto lo tuviera enfrente.

Amenaza que no intimidaba a Roberto, quien como respuesta organizó una campaña para boicotear a Gloria; blanco perfecto y provocador de la ira del cantante. Fue así que al contar la pareja con la simpatía de don Fernando Morales Ortiz, destacado periodista, honesto y defensor de aparentes causas perdidas, inició para ayudarlos el boicot del boicot. Mientras Cantú disparaba sus notas cargadas de tinta roja inventando "lindezas" de la actriz, don Fernando desmentía en su periódico, cuanta falsedad escribía el otro en su revista.

En esa época estaba de moda que artistas y periodistas se reunieran en la farmacia "Regis", que contaba con una fuente de sodas al fondo del establecimiento. Jorge era uno de los clientes más asiduos y raro era el día que no se presentara para comer o desayunar en compañía de sus amigos. Cuentan que Roberto Cantú se presentó ahí, pasado de copas, que con paso vacilante, dirigió sus pasos exactamente a la mesa donde se encontraba el cantante, cuando alguien le advirtió del peligro de encontrarse, el periodista se conformó con arrodillarse y gritar en tono de burla: "No me pegues papacito, no me pegues". Las consecuencias hubieran sido graves si Jorge alcanza a escucharlo. No cabe duda, la suerte lo acompañó. Luego de su "faena", sus cuates se compadecieron y lo sacaron ileso con todo y su borrachera.

Otro de los enfrentamientos fuertes que Jorge tuvo con la prensa sucedió en Uruguay, donde tenía contrato para presentar la obra de teatro "Luna de miel para tres". Su profesionalismo siempre lo llevaba a checar cada uno de los lugares donde hacía acto de presencia, por lo que antes de partir, envió a Orlando Villegas, uno de sus colaboradores, a inspeccionar aquella plaza. Parece que el tipo en cuestión se posesionó de un papel que no le correspondía y se le ocurrió la "brillante idea" de comentar ante empresarios y prensa que Negrete no se presentaba en ningún sitio que no fuera de su categoría; provocando el repudio del público hacía el cantante.

Gracias a la ayuda del "amigo", cuando Jorge se presentó en el teatro, la gente lo abucheó, le tiraron hasta jitomates. Luego aclaró ante la prensa, de manera convincente, que esas no fueron sus palabras, que se trataba de una equivocación. Sabía manejar la humildad en esas circunstancias y los convenció, logrando no sólo que la gente perdonara, sino que los aclamara a él y a Gloria. Finalmente fueron recibidos como lo que eran: dos grandes estrellas, abarrotando el lugar, como ningún artista extranjero lo había hecho.

El éxito, el aplauso y la admiración de la gente, les brindaba momentos inolvidables, sin embargo, la nostalgia por su tierra se apoderó de ellos y poco después decidieron volver a su terruño, a su gente que tanto extrañaban.

Maria Eva Duarte de Perón

María E. Vda de Perón saluda con su consideración más distinguida a la señora Gloria Marín y se complace en agradecer íntimamente las flores con que ha tenido la gentileza de obsequiarla.

Buenos Aires, enero 22 de 1947–

Facsímil de la nota de agradecimiento que envió a Gloria la señora Eva Duarte de Perón, primera dama de Argentina.

Foto de Jorge con cariñosa dedicatoria a la mujer de su vida: Gloria Marín.

6

Una ilusión perdida...

La muerte reciente de su padre motivó que Jorge buscara el acercamiento familiar en cuanto llegó a México. Deseaba reconfortar la tristeza de su madre, por lo que de inmediato emprendió un viaje a Nueva York acompañado exclusivamente de su hermana Teresa y doña Emilia. Sus continuas ausencias provocaban en Gloria una sensación de soledad y abandono, pocas veces soportables. Sin embargo, esta vez no se sintió sola, su intuición femenina, así como algunos síntomas inequívocos, le anunciaban la llegada de un ser que justo en esos momentos la salvaba de sentirse parte secundaria en la vida de Jorge. De pronto apareció alguien al rescate que la tendría como parte primordial en sus amores.

"Para mí, esto es un milagro, pero es únicamente mío. Un precioso secreto que no me interesa compartir más que con mi madre y otra persona más". −Señalaba tajante la actriz ante cualquier interrogatorio.

Ese silencio contenía el secreto de sus deseos más íntimos, lo que esperó mucho tiempo se convirtiera en milagro, algo que sería su felicidad y lo guardaba en un terreno divino. Para ella empezaba a escribirse un cuento, aunque en pleno siglo veinte, los escépticos los echaron por tierra. De cualquier forma, ella no se resentía, era creyente de la Virgen de Guadalupe. "En mis grandes dolores, así como en mis supremos deseos, siempre acudo a ella. Ahora tiene mi destino en sus manos. Confío en que me haga el milagro; el más grande para mí".

Gloria Marín miraba su máxima ilusión, convertida en el cariño total con que soñaba, como un lazo de unión para su idilio eterno, tan eterno y mágico como los cuentos que terminan diciendo: "Se casaron, se rodearon de hijitos adorables y vivieron así... eternamente felices". Sin embargo, nunca ha sido factible especular con el misterio sin arriesgar al error... O a un trágico destino.

Desgraciadamente a Gloria le fue negada esa ilusión tan largamente acariciada, alimentada por quimeras que se desvanecieron cuando la esperanza de verse unida por un hijo al hombre de su vida, la abandonó. De esto Jorge se enteró cuando se encontraba instalado en Nueva York y nuevamente sus cartas serían el único consuelo que podía ofrecerle:

Park Central Hotel   Noviembre 19 de 1947

Viejita de mi alma:

Nuevamente me pongo a platicar contigo, aunque preocupado y triste por la noticia que me dieron tu mamá y el doctor Hoyomonte. No puedes ni suponer siquiera lo intranquilo que estoy y solamente espero que llegue el viernes para llamarte por teléfono, pues ese día me dijo tu mamá que ya estarás en casa. Tan sólo de pensar que te has operado sin estar yo allá, no sé que siento. Hubiera preferido estar presente en esos momentos tan difíciles y tristes que representaban tanta ilusión para los dos.

No me queda más que repetirte que te quiero cada día más y más, que noche a noche sueño contigo, viejita de mi alma. Te veo tan bonita, tan sonriente y tan saludable, que hasta me da miedo perderte en este viaje. No me olvides ni un momento negrita mía, recuerda siempre que te adoro y que mi pensamiento y recuerdo están constantemente contigo. Yo regresaré, tan pronto me lo permitan mis deberes sagrados para con mi idolatrada madrecita.

Con todo el inmenso amor. Tu Jorge.

Jorge dedicaba todo el tiempo a pasear a su mamá y a su hermana

**En 1945 Gloria protagonizó junto a Arturo de Córdoba la película "Cre-
púsculo", dirigida por Julio Bracho.**

Teresa, a la que por cierto, atendían de sus padecimientos en uno de los mejores hospitales de esa ciudad. En ocasiones pasaban más de ocho horas entre estudios radiológicos y análisis que para él no representaba ningún sacrificio, todo lo que hacía por su familia, le parecía poco.

El cariño que le profesaba a doña Emilia era tan grande, que por respeto se cuidaba de no mostrar ante ella el inmenso amor que sentía por la actriz. Escondido como chiquillo, escribía sus largas cartas como si estuviera haciendo su peor travesura:

Noviembre 20 de 1947

Viejita preciosa:

Estoy sumamente preocupado por tu silencio, pues desde hace tres días que recibí tu última carta, no he vuelto a tener noticias tuyas.

En vista de que en tu última carta me dices que me notaste un poco frío cuando te hablé por teléfono, me he apresurado a llamarte otra vez. Pero lo he hecho desde hace tres días, sin haberlo logrado. Me dicen que en ninguno de tus teléfonos contestan y ya te puedes imaginar cómo estoy, preocupadísimo.

No seas tontita, no me digas que te hablo fríamente. Lo que sucede es que como vivimos en un departamentito con dos recámaras y una sala, en el momento en que conseguí comunicación contigo, mi madre y yo estabamos jugando "parcasé" y ya sabes cómo me contengo de decirte cosas que siento delante de mi mamacita. No te hablo como quisiera, pero si mañana consigo hablarte, ya verás qué distinto. No es porque me avergüence el decirte cuánto te adoro, más bien es por el respeto que le tengo a mi "jefecita"...

Un poco por el respeto que indudablemente sentía por ella, pero también un mucho por saber que nunca acabaría por aceptar a su mujer. Aparentemente la señora estaba resignada, pero siempre con la esperanza de que esa relación terminara un día. Su hijo lo intuía y por todos los medios buscó el acercamiento entre ellas, situación que logró a medias. Aun así, gozaba de los "detalles" que supuestamente doña Emilia tenía esporádicamente con Gloria:

Park Central New York City   *Diciembre 4 de 1947*

Mi negrita linda adorada:

Por fin después de esperar y esperar, han llegado dos cartas tuyas. Lo importante es que no te olvides de mí y que como yo, dediques tus pensamientos a tu negro que tanto te quiere.

En éstas me dices que ya estás bien y me llena de felicidad. Sé lo que sufriste, pero afortunadamente ya pasó. De acuerdo con tu segunda carta, saliste para José Purúa y me alegro, pues tienes oportunidad de distraerte un poco y recuperarte totalmente. Aquí parece que Tere se está recuperando y me recomienda que te agradezca tus anteriores, así como mi mamá el cariño que le has demostrado.

Por otro lado, así como tú, yo me siento con ganas de estar contigo, pero como dices: estamos obrando de acuerdo a nuestros deberes y sobre todo con la satisfacción de dedicarnos a nuestros seres queridos cuando más lo necesitan, quiera Dios conservarlos muchos años, para demostrarles lo mucho que tenemos que agradecerles y corresponder en mínima parte a sus sacrificios, desvelos y sufrimientos pasados por nuestra causa. Y como dices que te cuente de aquí, lo primero que te digo es que Ingrid Bergman no está trabajando aquí. Seguramente te habrán dicho de Ethel Merman, quien efectivamente está haciendo una comedia musical muy bonita titulada: "Anita, agarra tu pistola".

A mi mamá y a Tere las he llevado a todos los lugares que he podido. La mayor parte del tiempo se la pasan en la tienda Woolworth. Como comprenderás, no me les despego, pues no hablan ni una palabra de inglés y en esta ciudad de once millones de habitantes no saben ir solas ni a la esquina.

Cómo te ibas a reír si vieras mis apuros, sobre todo cuan-

enero 2 de 1947.

Viejita de mi alma:

Hace apenas unas horas que me has dejado sin ti. unas cuantas horas y ya no sé qué hacer más que encerrarme en nuestro nidito, y llorar como criatura. Todo está tan lleno de ti, de tus manos, del contacto de todo tu ser, que cada rincón, cada objeto, no hace más que hablarme o... de tu presencia y recordarme de tu cruel ausencia. Ahora todo se está llenando con mi dolor y con mis lágrimas todo me pregunta: ¿por qué?... ¿porqué ... dejado que se vaya? ¿porqué te irás ahora, cuando más felices eran cuando más la necesitabas junto de ti? Y no sé qué contestar, alma mía; sólo sé llorar y llorar, con la esperanza de que mis sollozos lleguen a ti te envuelvan como te han envuelto mis caricias, con te ha rodeado mi amor desde el primer beso que te di... Siento que estoy solo; una sensación angustia ... vacío me llena el alma; sube a mi garganta como si quisiera hacerme gritarte: "vuelve, mi vida, vuelve que me estoy muriendo sin verte."

—1—

Facsimilar de la carta que Jorge envió a su amada el 2 de enero de 1947.

[página 3, manuscrita:]

... las gentes mal intencionadas de allá que sólo quieren tu mal. Ya sé que no tengo que recomendarte todo precio más absoluto para las dos personas ... de Tania ... para los dos. Allá, y a ella mi mirada, bajo mi concepto. Con excepción de ...aro, mi ...rida, Mimí, ...ador y mi ... y Marianita, no ... das recomendaciones ni invitaciones, de nadie, especialmente de las gentes que te encuentras ... pues son ... y degeneradas y te ... nuevos y más amargos dolores. Con ... así ... Llegada, que ya llegará verás ... lo que ... a esto ... juntos, nos reiremos de todo y de todo...

No sé ... hacerme ... problemas, de tus placeres y de tus necesidades ... al quererte con ... ... la invitación mente, pues ... o ... ... comete a ... ... y ... que ... ... muy cerca de ti. Ya no puedo más, vuelvo a ... las lágrimas y me es imposible ... insostenible; ... decía que mis ojos lloraban, pero no, yo estoy llorando.

—3—

[página 2, manuscrita:]

Pero quiero ser valiente como en las películas; debo ser valiente y pensar que también tú tienes derecho a viajar y a luchar en la forma que te dicte tu voluntad y robustecer debe hacer a un lado mis egoísmos, debo hacer todo esto, pero no puedo. Te extraño como a mi propia vida si me faltara. Al irte te has llevado todo; mi amor, mi fe, mi voluntad y mi alma entera. Felizmente Dios N.S. que no me abandona, me ha dado la gracia de mi familia y de una fijita, que harán que este dolor tan mío sea más llevadero y pueda tener resignación hasta que llegue el momento dichoso de volver a tenerte entre mis brazos.

Consúltate como ... mío; siempre ... todas las ... según a ... a la Virgencita por tu bienestar a pendiente tu velador para que siempre te ... a Su Soberalísima mano y te ... todos los días de todas las semanas de ... separación hasta que ... este ... tormento ... fin. No te preocupes por mí, que ya sabes que me irá pensando siempre en ti, que no ... solas ... sin dejar que te ... con ...

—2—

do van a comprar ropa interior, no sé cómo explicarles a las
empleadas las medidas de los brassieres y todas esas cosas
que usan las mujeres... Realmente es todo un paquete, me
pongo rojo de pena y me sudan las orejas cada vez que pre-
gunto si tiene pantaletas. Por hoy, es todo lo que puedo contarte. Adiós negrita y sueña con tu Jorge que te adora.

Ante la insistencia de Gloria y su madre (cada una por su lado),
Jorge aprovechó las visitas al hospital para hacerse un chequeo
médico, que describió en una carta muy graciosa que le envió, dán-
dole detalles del resultado:

Diciembre 4 de 1947
Prietita linda: (continuación)

Acudiendo a la petición de mi mamá y a la tuya, hice que
me practicaran un reconocimiento general, encontrando el
doctor todas estas calamidades: anemia aguda, (68%) de
hemoglobina en vez de (12%). Siete kilos más peso. Sesenta
pulsaciones en lugar de 75. Presión arterial alta, 140 en vez
de 120. Lincocitos en la orina y células renales en el sedi-
mento de la misma.
Probable existencia de parásitos intestinales. Mal estado
de dentadura y un metabolismo sumamente bajo... Del resto, muy bien; como dirías tú: mañana tengo que ir a que
analicen mi "caquita", para lo cual he organizado una
"Caca party" en el laboratorio del doctor Kean, y lógica-
mente, él será el padrino. Ya te contaré... ¡Ah! se me olvidaba
decirte que me encontraron la próstata crecida. Yo me siento bien, sólo me duele y me hace sufrir tu ausencia. Bueno
Negrita, ya se acabó el periódico.

Todo el amor y adoración de tu Jorge.

P.D. En mi próxima carta te contaré lo que me hizo el consulado de México en ésta, como siempre ya sabes, son unos
hijos de...

New York Park Central   *Diciembre 8 de 1947*

Adorada Negrita:

Me dices que tú también te estás reponiendo para esperar mi regreso. Yo sé que te encontraré más linda y por lo mismo, también me estoy preparando para llegar a tu lado. Estoy haciendo ejercicio, mucha gimnasia y no me vas a reconocer de lo fuerte y saludable que estaré. Y así digan los médicos que estoy anémico, ya te enseñaré lo anémico que estoy.

Te prometí contarte lo del consulado, y ahí te va: tengo aquí un amigo que se llama Milton Rubí, publicista que fuera agente mío hace siete u ocho años. Este señor se enteró, no sé cómo, de mi estancia en Nueva York, e inmediatamente trató de ponerse en contacto conmigo. Preguntó en varios hoteles, pero no obtuvo éxito.

Se le ocurrió entonces llamar al consulado de México, naturalmente pensando en que ahí le informarían. Pero los señores del consulado, cretinos, como todos nuestros representantes diplomáticos, envidiosos y más y más, le contestaron que no conocían a persona alguna con ese nombre.

Obviamente, Milton les dijo que no era posible tratándose de alguien tan conocido, no solamente en México, sino en todo el continente, pero le volvieron a repetir que lo sentían mucho, pero que nunca habían oído mi nombre. La cosa fue tan absurda, que Milton indignado les exigió que le dieran esa información ya no como persona conocida, simplemente como ciudadano mexicano.

Quiero advertirte que dos días antes de esto, me llamó el Canciller del consulado a nombre del Cónsul, aquí al hotel, para invitarme a tomar parte de una velada, no como mexicano, como artista. Yo me disculpé y le dije que debido a mi luto no podía asistir a fiesta alguna, mucho menos cantar, así que me prometió hacérselo saber de esa manera al Cónsul. Me dijo, estaba seguro que entendería. Después, me sucedió lo que antes te cuento.

Por fortuna, y como siempre, Dios y mi papacito me ayu-

daron. El resultado fue que Walter Winchil, el columnista más famoso y respetado de América y gran amigo mío, se indignó. De tal manera que cuando Rubí se lo contó, me hizo el favor de dedicarme el párrafo más largo y sensacional que jamás había dedicado a artista alguno. Te lo traduzco para que veas exactamente lo que dice:

"Queridos amigos. En días pasados el publicista neoyorquino, Milton Rubí, supo de la llegada de Jorge Negrete a esta urbe. Trató de encontrarlo y por ello se dirigió al Consulado Mexicano en Wall Street, para inquirir acerca del lugar donde se hospeda. Pero la voz consular, manifestó 'lindamente', no conocer la existencia de tal hombre.

"Para que se den cuenta de tamaña arbitrariedad, Jorge Negrete es como el Clark Gable, el Bing Crosby o el Laurence Tibett de todo México. El gran artista que en ese país no habían tenido en muchos años".

Ya te imaginarás cómo deben estar esos zonzos del Consulado, esperando darme explicaciones. Yo por mi parte ni siquiera me he tomado la molestia de hablarles. Cuando llegue a México veré a quien corresponda para exigir que cambien al personal de aquí y envíen a nuevos representantes, por ser éstos no sólo inútiles, sino nocivos para los mexicanos que viven aquí y los que pasamos por esta ciudad, ¿qué te parece?

Bueno Negrita, el sábado salimos para Montreal, esperando estar de regreso a ésta el día 20 para recoger nuestro equipaje y demás chivas. Por fin salir el 25 a México y de ahí a tus brazos.

Pocos podrían imaginar a Jorge Negrete, "el Charro Cantor", el ídolo de multitudes, y sobre todo el temible líder sindical, esperar con tanta ansiedad, como chamaco en vísperas de Navidad, el día en que su cuerpo se uniera nuevamente al de Gloria. Por las noches soñaba, pero luego se conflictuaba porque su amor de hijo finalmente le ganaba:

Ford Montreal Cor.   *Diciembre 16 de 1947*
Dorchst Bishop

Adorada mujercita:

Es tanto lo que te extraño, que ya no puedo más. Realmente mi vida, ésta ha sido una prueba muy dura para mí. Por una parte, mi amor y devoción por mi madrecita me hacen sentir satisfecho de verla contenta, mimada y casi feliz. Pero por otro lado, mi adoración ferviente por ti me ha colocado en el centro de las fuerzas espirituales.

Solamente mi voluntad y tu gran comprensión, han hecho posible esta ausencia que espero sea la última. Mi vida se mueve alrededor de tres grandes pasiones: mi madrecita, mi hijita Diana y tú, amorcito mío, que en sus distintos caracteres y de acuerdo con la clasificación de sentimientos, tienen dentro de mí la misma fuerza.

Qué difícil debió ser para Jorge amar con esa intensidad, con esa necesidad de entrega absoluta hacia tres personas, que por situaciones de la vida, no podían compartir juntas su cariño. Desde su divorcio, Elisa Christy se había apartado de la familia haciendo que su relación fuera casi inexistente, la niña veía a su papá y a sus abuelos en contadas ocasiones. Doña Emilia no solía compartir con la actriz el tiempo que le dedicaba su hijo; y Gloria, había optado por no violentar la moral de la señora procurando siempre guardar su distancia.

De alguna manera comprendía lo que el amor filial significaba para Jorge. Los dos, siendo hijos amorosos y entregados, aun a costa de poner en peligro su relación, acataban y respetaban el sentimiento estricto del deber para con sus padres. Prueba de ello lo señala otra secuencia de la carta del cantante:

"Afortunadamente, y después de haber cumplido con mi deber de hijo y mi cariño enorme para con ella, hasta donde me alcancen las fuerzas y recuerdo, ya pronto podremos regresar. Yo sé que tú, que eres tan buena hija, me querrás más que antes y me verás con más gusto y orgullosa, como me decías en una de tus cartas.

"Me preguntas si quiero que vayas a esperarme a la estación, y yo te contesto, que si no lo haces, te voy a dar unas nalgadas tan fuertes, que en una semana no vas a poder sentarte... ¡Claro que quiero que vayas..! si hasta quisiera verte antes de mi llegada, te aseguro que al entrar a la estación, mis ojos no buscarán a nadie más que a ti...".

La estancia del cantante y su familia en Canadá, aunque breve, significó para ellos momentos inolvidables. El frío calaba hasta los huesos, pero esto no impidió su felicidad, a pesar de sentir el rigor del temporal que cayó días antes de su llegada. La nieve subió 40 cms del nivel de la calle. Su madre, no obstante su edad, quedó pasmada con el espectáculo, pues mientras caían toneladas de espuma blanca, en el cielo brillaba un sol esplendoroso.

Parecía una criatura con los ojos muy abiertos, gozando de la hermosura del paisaje. Jorge las llevó a conocer la Catedral de Sant James y Notre Dame, las paseó en trineo por las montañas y las hizo bajar al mirador, caminando por la nieve que les llegaba hasta las rodillas, en medio de estruendosas risas y muestras de alegría.

Un estado de ánimo que él compartía mientras no estuviera solo, en la intimidad de su cuarto, donde aprovechaba para escribir tantas cartas como su soledad le pedía:

Diciembre 20 de 1947

Adorada viejita:

Al redactar ésta y tú leerla, ya habrás notado que mi escritura está peor que nunca. Esto se debe a que estoy sobre la cama y con el pulso un poco tembloroso, es que pesqué una gripe, ¡que Dios me libre!

Estoy moqueando y llevo dos cajas de pañuelos desechables. No dejo de sonarme y ya tengo la nariz y la boca como nalgas de chimpancé: coloradas y raspadas. Viejita, ya falta poco para nuestro gran encuentro, para estar pegadito a tu piel y desahogar todas mis inquietudes de hombre. Para rendirme ante ti, como sólo puede hacerlo un hombre enamorado y locamente apasionado ante una mujer que representa toda su vida. Te prometo que acabando ésto, el único

*compromiso que tengo es filmar "Rancho Grande", después
quedaré libre por algún tiempo y será el que empleemos
para pasear solos por acá tú y yo.*

*Manténte ilusionada con mi llegada para que ese encuen-
tro de los dos sea todavía más conmovible que las mismas
historias que hemos actuado. Y así, sin críticas, ni aplausos,
nos entreguemos sin reservas a nuestro amor.*

Tuyo totalmente. Jorge.

Fue el productor Fernando de Fuentes quien propuso a Negrete
filmar la nueva versión de "Allá en el Rancho Grande", en esta ocasión a colores. La primera versión fue protagonizada por Tito Guízar
y Esther Fernández. Su carrera en el cine iba viento en popa, puesto
que también realizaría nuevamente junto a Gloria "Si Adelita se fuera con otro", dirigida por Chano Urueta con argumento de Ernesto
Cortázar.

Por otro lado, sus discos de "Juan Charrasqueado" y "El desterra-
do" se habían agotado por completo en el mercado y sus compromisos
de trabajo no sólo se limitaban al Continente Americano, Europa
también lo requería.

7

Jorge rumbo a España...

Era el mes de mayo del año 1948, cuando una escena amorosa con tintes amargos se desarrollaba en Londres. Gloria se despedía llorosa del cantante en el puerto, debido a que éste nuevamente la dejaba sola para iniciar su travesía en el "Queen Mary", siendo su destino final España. Ella tomaría el avión que la conduciría a México para esperar ansiosa, como siempre, la correspondencia de Negrete... quien apenas se había despedido de ella y ya se encontraba listo con papel y pluma para iniciar sus interminables apuntes... Jorge Negrete disfrutaba narrando todo cuanto le ocurría. Era observador y descriptivo, unido al sentido del humor que Gloria le había contagiado a través de la convivencia, hacían que muchas de sus cartas resultaran amenas y plenas de anécdotas:

R.M.S. "Queen Mary"   *Mayo 8 de 1948*

Viejita de mi alma:

Apenas hace unos cuantos minutos que me dejaste y ya me siento tan solo que quisiera bajarme del barco para ir a buscarte. Cada vez se me hace más difícil no tenerte a mi lado. Esta será la última vez, pues ya no pienso seperarme de ti.

10 ROOMS with
ATH & RADIO

MODERN · CENTRAL
FIRE PROOF

FORD HOTELS

MONTREAL
Cor. Dorchester & Bishop

TORONTO
Cor. BAY & DUNDAS

Diciembre 16 de 1947.

Adorada Viejita mía: Al llegar a esta
ciudad y media hora después de bañar
me en el hotel, me pongo a escribirte
la presente. — En mi anterior te explica
ba la causa por la que salimos para acá
hasta ahora. — Pero, te repito, esto no me
retrasará ni un día más si Dios N.S. no
dispone otra cosa; de modo que para el
día 29 por la mañana, estaremos, si Él
nos lo permite, en ésa. — Es tanto lo que
te extraño, que ya no puedo más. — A veces
quisiera que nos fuéramos en avión, pero
me da miedo por mamá y por Tere, pues
temo que les haga daño. — Realmente
mi vida, ésta sí ha sido una prueba
dura para mí, pues por una parte —
mi amor y devoción por mi mamaíta,
que me hace sentirme satisfecho de
verla contenta, mimada y casi feliz
y por la otra, mi adoración ferviente
por ti, me han colocado en el centro
de las fuerzas espirituales más fuer
tes que existen, y solamente mi voluntad
y tu gran comprensión, han hecho

ROOMS with
TV & RADIO

MODERN · CENTRAL
FIRE PROOF

FORD HOTELS

MONTREAL
Cor. Dorchester & Bishop

TORONTO
Cor. BAY & DUNDAS

será la última. — Mi vida se mueve
alrededor de mis tres grandes pasiones:
mi madrecita, mi hijita Viana y tu
amor mío, que, en sus distintos caracte-
teres, y de acuerdo con la clasificación
de sentimientos, tienen dentro de mí casi
la misma fuerza. — Afortunadamente y después de haber cumplido con mi
deber de hijo y mi cariño enorme para
ella, hasta donde me alcanzan las fuerzas y los recursos, ya pronto podremos
regresar y yo sé que tú, que eres tan buena
hija, me querrás más que antes y me verás
con más gusto y orgullo como me decías
en una de tus anteriores. — Me preguntas que si quiero que vayas a esperarnos
a la estación y yo te contesto que si no
vas te doy unas nalgadas tan fuertes
que no te vas a poder sentar en una
semana. ¡Claro que quiero que vayas,
amorcito! Si hasta quisiera verte
antes de mi llegada y te aseguro que
al entrar a la estación mis ojos no
buscarán a nadie más que a ti.
Estoy seguro de que estarás tan bonita
como siempre, más lo

Lila Sosa de Guadalupe no disponen
otra cosa. — Así pues, dentro de trece
días exactamente, estaremos juntos otra
vez; iremos a la misa de mi papacito
y después me invitas a comer, para
en la tarde ir a la casa a recoger
todas tus cosas e irlas a llevar a las
Somas. Luego que las vea tu mamá,
nos preparamos y nos vamos a dar
la vuelta, para después irnos a
merendar con Clara o a donde tú
tú quieras y luego a dormir muy
juntos muy abrazados, como en
los benditos días, de toda nuestra
vida juntos. ¿ Te gusta plan?

Bueno amor mío, ya termi-
no aquí, enviándote miles y miles
de besos y la seguridad de mi com-
ta te pienso en dar mi nietas adorada, tan dulce y tan bonita. —

Saluda a tu mamá, y a la
Gorda y a las niñas, y recibe todo
el inmenso amor de tu viejo,

José.

En cuanto te bajaste del barco, recorrí toda la cubierta para ver si estabas en el muelle y todo fue en vano, seguramente te fuiste en seguida, sin pensar que desde tierra podías decirme adiós.

Suspendo la escritura, pues suena el teléfono y acabo de hablar contigo. Amor mío, ¡qué sensación tan absurda produce a uno hablar así con la persona amada, sabiéndola a un paso y sin poder verla, tocarla, besarla... llamarla de todas las formas dulces que ha inventado el amor!, ¿verdad? Bueno, aquí termina el primer episodio de este viaje, hasta mañana, amor mío.

Mayo 9 de 1948

Negrita de mi vida:

Como verás, no dejo de pensar ni un minuto en ti y en lo que puedas estar haciendo en estos momentos. De aquí nada te cuento, más que me receté una película de lo más horrorosa que te puedas imaginar, un filme inglés de Nino Martini, de lo más insulsa y chocante que puedas suponer. Después de verla, me metí al salón de té a jugar carreras de caballos y perdí ocho dólares.

Hasta ahora, no he hecho amistad con nadie, de no ser con dos venezolanos; uno es banquero y el otro médico, este último se la pasa mareado todo el tiempo y el banquero siempre borracho. La demás gente es tan estirada que ni ganas dan de hablarle. Este es el barco más grande y más aburrido que he visto en mi vida.

Mayo 11 de 1948

Buenos días panterita adorada. Aquí me tienes ya en el cuarto día de viaje y sin nada importante qué contarte, como no sea el haber entablado conocimiento con un viejito inglés que es inventor y muy culto.

Con él tuve una gran plática, es un hombre muy preparado y muy ameno, pues habla terriblemente el "british", ¿you know? Me cuesta mucho trabajo entenderlo y lo mismo pasa con los meseros, pues todos aquí hablan igual, menos los venezolanos y yo. A propósito de ellos; el doctor sigue mareado y el banquero borracho. De los demás pasajeros no te digo nada porque todos los que he visto hasta ahora son venerables loros que me hacen recordar la frase del gran Napoleón en Egipto: "Soldados, desde este lugar, 40 siglos os contemplan". Yo tengo más suerte que los soldados de "Napo", pues aquí me contemplan por lo menos ochenta siglos.

¡Qué fastidio es vestir de etiqueta para cenar! El compañero que me tocó en la mesa es un señor inglés que regresa de Colombia más asustado que el diablo, pues le tocó el relajo de Bogotá... Yo creo que tiene diarrea, pues no lo veo comer otra cosa que no sean hierbas y té. No se me quita de la cabeza lo mucho que nos íbamos a divertir juntos en medio de estos loros de cuello almidonado y pellejos imposibles de almidonar... Pero en fin, sea por Dios, ya me permita él en su bondad infinita hacer este viaje solos y pronto. Prácticamente mañana es el último día de viaje, pues llegaremos a Cherburgo, y tú a nuestro adorado México pasado mañana.

Ya tengo que empezar a empacar desde ahora, pues no quiero andar a las carreras, amén que me dijeron que el equipaje tiene que estar listo para sacarlo mañana a más tardar a las siete de la mañana. Morenita mía de mi vida, que Dios te bendiga y nuestra Virgencita te proteja en todo momento.

Mayo 12

Viejita adorada. Ya casi vamos llegando, bendito sea Dios, pues este barquito ya me tiene hasta la coronilla y el acento inglés ¡ni se diga! Figúrate que son tan cochinos, que ni una sola vez han cambiado la ropa de cama desde que salimos, así que yo duermo alternativamente en las dos camas para que las sábanas se conserven más o menos limpias, ¡qué puercos!

Hoy es día de ajetreo, pues hay que entregar el equipaje con etiquetas y más etiquetas. No dejo de pensar en ti. Panterita, extraño tanto tus monerías y tus caricias que me siento cada vez más triste. Acaso ni yo mismo sé lo mucho que te quiero. En fin amor mío, que se haga la voluntad de Dios. Solamente le pido misericordia y nos permita reunirnos felices y tranquilos otra vez.

Mañana al llegar a Cherburgo, te pondré un cable y al poner los pies en París también. Hasta mañana adorada mujercita. Siempre tuyo. Jorge.

Meses antes de organizar su viaje a España, el cantante hizo algunas declaraciones de carácter político; mismas que le provocarían serios problemas al llegar a ese país. En una plática "entre amigos", él se manifestó enemigo del régimen dictatorial que imperaba en España y el promotor de esa noticia, un periodista de apellido Rocha, se encargó de darla a conocer.

Jorge se caracterizaba por ser una persona franca, a veces muy viceral, que no se detenía a pensar en todo lo que le podían ocasionar sus palabras. Así que mientras su hermano David intentaba suavizar la situación del artista en ese país, él detenía su viaje en Francia.

Hotel George V
París   Mayo 14 de 1948

Vidita mía:

Por fin he llegado a ésta e inmeditamente te envío otro cable tal como te lo prometí. Estoy intentando la comunicación contigo, siquiera para oír tu vocesita que me dice: Negrito, viejito de mi vida y todas esas cosas tuyas con que me obsequias con tu cariño, indispensable en mi vida.

Hoy hablaré con David y mamá a Madrid para que me

digan qué es lo que han adelantado y cuándo puedo llegar a ésa, pues no tengo muchas ganas de quedarme aquí. Por lo poco que he visto y desde que llegué, este país no es ni la sombra del París de antes de la guerra. Figúrate que para cenar en el "Café París", que es un buen restaurante, pero no algo del otro mundo, me costó mil doscientos francos, quinientos de propina y al portero cinco más. Total, me gasté mil ochocientos francos que vienen siendo 19 pesos por una cena deficiente, sin pan, porque el que me dieron estaba bastante malo y no lo pude comer. ¡Fue un asalto!

En fin, que esta ciudad ya no es lo que antes, que fue un emporio de exquisiteces y buen vivir. De los espectáculos, te diré que pienso ir al Casino París y también a Tabarín. Y en caso de no poder salir de inmediato para España, iré tres días a Holanda y de regreso pasaré a Bruselas. Aquí es doloroso ver la situación de la gente, así que ojalá tenga tiempo de hacerlo. Aunque creo que no será factible, pues Grovas ya debe estar casi listo para empezar la película en España, de ser así, tendré que irme a esa ciudad sin tardanza...

Independientemente del interés lógico de Jorge por llevar a cabo la realización de "Jalisco canta en Sevilla", en la que también intervendrían Jesús Tordesillas, Carmen Sevilla y Armando Soto la Marina "Chicote", iba además como delegado oficial de México en el Congreso Cinematográfico Hispanoamericano. Como representante de la Asociación Nacional de Actores, le interesaba que se diera una unión entre ese país y el nuestro, como un intento efectivo de intercambio, donde los artistas mexicanos pudieran participar en proyectos extranjeros, así como abrir nuestras puertas a los artistas de allá. Tenía mil proyectos, pero su forzosa detención en París lo hacían vivir días tediosos, grises, sin la presencia de Gloria:

HOTEL GEORGE V
31 AVENUE GEORGE V
PARIS
TÉLÉPH: ÉLYSÉES 89-71
TÉLÉGR: GEORGEOTEL-PARIS

5-18-48

Vida mía:

Acabo de recibir tu telegrama y no tienes idea del gusto que me has dado, pues me haces sentir orgulloso y satisfecho al ver que sin merecerlo, me quiere tanto una mujercita tan linda y tan buena como tú. Dios te bendiga por ello, que para mí es una bendición más, tu cariño. — Por mi parte, nada puedo decirte que no sepas ya desde siempre: que te adoro y que te extraño como un desesperado; hay veces en que siento tanta soledad en medio acompañado de mucha gente, que me parece que todo está callado y todos se han ido y que el mundo con sus grandes movimientos, se ha detenido totalmente, suspenso, para hacerme sentir más solo todavía. Otras veces, me parece como si me faltara una parte de mí mismo, un brazo, una pierna o qué sé yo. — Así que ya ves que también yo paso lo mío, pero siem

Facsimilar de la tierna misiva que Jorge envió a Gloria desde París el 18 de mayo de 1948.

pues en la esperanza de verte pronto y tenerte cerca de mí y robusto lista para venir a mí en cuanto te lo pida: por ejemplo, hay mañanas que me despierto y te llamo: "¡pauserita!" y la pauserita no viene y hasta entonces me acuerdo que no estás conmigo.— Pero ya Dios N.S. y la Madre Santísima de Guadalupe, han de ser Misericordiosos, como siempre con nosotros y han de permitir que volvamos a reunirnos muy pronto.— Hoy vía María se va mañana para Roma; anda con Alfonso, está muy raro, muy engreído y con un aspecto de grandeza y ha adoptado unas actitudes que quieren ser majestuosas o de gran señor, que le quedan muy mal, se ve grotesco queriendo aparentar lo que no es ni será.— Me dió mucha pena, oírlo hablar en tono de suficiencia, de cosas teológicas y filosóficas, pues a las dos o tres palabras, empezó a desbarrar y claro, mi gracioso parecía.— Buen viejita de mi alma, pauserita linda, termino esta con un millón de dólares de besos, al cambio en francos franceses, para ti, pues quiero que se vaya hoy mismo y ya es tarde.

P.D. Por favor no digas a ningún periodista o persona indiscreta lo que te he contado de Mario, pues no quiero dificultades a él, porque la próxima será la última.— Vale. (a la vuelta)

[margen izquierdo:] Saluda a todos con cariño y para ti, mi devoción y gran amor. Tuyo siempre, Jorge.

[sello:] HOTEL 31, AVENU... P. TÉLÉPH: 1 TÉLÉGR: GE...

Hotel George V   Mayo 18 de 1948
París

Vida mía:

Acabo de recibir tu telegrama y no tienes idea el gusto que
me dio, pues me hace sentir orgulloso y satisfecho de ver
que sin merecerlo, me quiere tanto una mujercita tan linda y
tan buena como tú. Dios te bendiga por ello, que para mí es
una bendición más tu cariño.

Por mi parte, nada puedo decirte que no sepas y desde
siempre: que te adoro y te extraño como un desesperado...
Hay veces en que siento tanta soledad, aun acompañado de
mucha gente, que me parece que todo está callado y que
todos se han ido; que el mundo, con sus grandes movimientos, se ha detenido totalmente para hacerme sentir más solo
todavía. Otras veces, me parece como si me faltara una parte
de mí, un brazo, una pierna, ¡qué sé yo! Así que ya ves, yo
también paso lo mío, pero siempre con la esperanza de verte
pronto y tenerte cerca de mí, sabiéndote lista para venir en
cuanto te lo pida. Dios quiera que volvamos a reunirnos
pronto.

Hoy vi a Mario, se va mañana a Roma, anda con Alfonso
y está muy raro, muy engreído. Muestra aires de grandeza y
ha adoptado unas actitudes que quieren ser majestuosas o
de gran señor y le quedan muy mal, se ve grotesco, quiere
aparentar lo que no es, ni será. Me dio pena oírlo hablar en
tono de suficiencia, de cosas teológicas y filosóficas, pues a
las dos palabras empezó a desbarrar y claro, ni gracioso
parecía.

Bueno prietita, salúdame a todos por allá y para ti mi
devoción y gran amor. Tuyo. Jorge.

Ya para entonces la enemistad entre Jorge y Mario Moreno "Cantinflas" era un asunto irreconciliable. Los años que lucharon juntos

en pro de sus compañeros artistas y el Sindicato quedaban atrás. El choque de personalidades y los continuos enfrentamientos acabaron por enfriar su amistad.

Fernando Morales Ortíz, de quien ya he mencionado dirigía una revista de la época, recuerda que él mismo se vio envuelto en un incidente provocado por esa misma rivalidad: "En un tiempo, Jorge y Mario dirigían a la limón la agrupación, siendo los dos secretarios generales, así que cuando Jorge viajó a Argentina en el año 1947, yo quedé al frente de la revista 'VAM' (Vanguardia Artística Mexicana). Recuerdo haberle advertido a Negrete, que si aspiraba a que esa publicación se vendiera al público, tenía que cambiarle el nombre, las siglas 'VAM' no le decían nada a la gente. Sugerencia que no aceptó, así le gustaba a él, y ese punto, me dijo, 'no estaba a discusión'.

"Más tarde, cuando Mario se quedó al frente de ésta, debido al viaje que había emprendido Jorge, fue que me llamó en seguida y me preguntó molesto: 'Oiga, ¿por qué está dirigiendo usted esta revista?'

"Su actitud me tomó por sorpresa, pero no al grado de evitar responderle: Porque esta revista era un fracaso, los que la estaban manejando les robaban a ustedes por lo menos 25 mil pesos mensuales. Entienda usted —le expliqué— estaba en manos de gente deshonesta e incapaz. Al principio, Mario estaba muy molesto porque Jorge no lo había consultado de mi nombramiento en la revista. Luego, después de media hora de plática, no sólo se convenció, sino que aceptó que se le cambiara el nombre. Yo le advertí que de hacerlo Jorge se molestaría, pero Mario me hizo observar que él tenía tanta autoridad como Negrete para resolver cualquier cuestión. El caso es que al regreso del cantante, éste se mostró inconforme por lo ocurrido, que aún amistosamente, yo renuncié a seguir realizando la revista".

Está claro que sus enfrentamientos eran tan constantes, que con el menor pretexto buscaban pleito. Y justo al encontrarse los dos en París, se había desatado otro.

Hotel George V   *Mayo 19 de 1948*
París

Querida panterita:

Siempre no fui a Holanda por causas que te voy a relatar: suspendí el viaje por ciertas intrigas y mala fe que se desataron contra nuestro representante aquí, Sr. Karol, quien distribuye nuestro material en Europa.

Resulta ser que este señor, un hombre honrado, trabajador y que conoce el negocio y Europa como sus propias manos, sobre todo, que le tiene mucho cariño a nuestra industria y a México, habiéndolo demostrado en más de una ocasión, no cuenta con la simpatía de "Cantinflas" y su grupo: Reachi, Gelman y un tal Levy.

Parece ser que Gelman quiere que su sobrino Levy sea quien distribuya totalmente nuestras películas en Europa, cuando hay el antecedente de que ellos nunca pudieron conseguir la venta y distribución de una sola película mexicana, al grado que las películas de Mario no se exhibían en este continente. Tuvo que venir Karol, y por principio de cuentas, dobló "Historia de un gran amor" y consiguió de inmediato su distribución, recibiendo cuatro millones de francos como garantía mínima.

Además, estoy enterado de que consiguió las mismas garantías para "Enamorada", haciéndole tal publicidad, que diariamente veo las colas de gente esperando en la calle para entrar al teatro. "Historia" tuvo un éxito mayor en París y actualmente está rompiendo récords en Marruecos y El Cairo. Bueno, en Italia nuestro material es tan importante, como el propio italiano. En una palabra, ¡qué labor de este hombre por nuestro cine!, ha sido admirable y no podemos pedir más.

"Cantinflas" lo ataca de memoria, pues solamente por sus socios lo tacha de sin vergüenza y ratero como es su costumbre. En cambio Grovas y yo no hemos encontrado en los libros raterías ni cosas obscuras, y ya sabes que Grovas para eso es un león.

Así que Gelman consiguió del banco cinematográfico y de no sé quién más, que manden preguntar por cable al embajador nuestro aquí, acerca de las actitudes de Karol. Pero el embajador, azuzado por "Cantinflas", lo apoyó y delante de mí Mario dijo que mis películas estaban en manos de ese judío ladrón y que debían estar en manos de mexicanos... Imagínate, él hablando de judíos y distribución extranjera teniendo a su lado a Gelman, Reachi y Levy; ¡es el colmo!

Por esta razón no he querido salir para Holanda, pues en mi ausencia se podría cometer una injusticia contra este pobre hombre, con el que tanto Grovas y yo, estamos satisfechos...

No cabe duda que cada cabeza es un mundo y ellos entendían este negocio de diferente manera. Mario optó por formar su propia entidad distribuida por Gelman, su socio. Con él no sólo intentaba solidificar su papel de distribuidor de sus películas, fraguaba que su grupo se convirtiera en el conducto en Europa del total del material del cine mexicano; el que dicho sea de paso, era exitoso y ganador de premios en festivales como el de Bélgica, Venecia y Cannes.

Por su parte, Jorge obraba con justicia respecto a Karol; a quien se reconoció siempre como un hombre clave en la representación y distribución oficial del cine mexicano en Europa.

La rivalidad entre Jorge y Mario se inició cuando enfrentaban los conflictos sindicales, que por su problemática, debían discutir en interminables asambleas. Sus puntos de vista y forma de conceptualizarlos, acababan por sumergirlos en afrenta personal.

Jorge representaba la inteligencia, el vigor, la preparación y la prestancia; cualidades que en ocasiones se veían opacadas por la fórmula mágica que empleaba Mario: amabilidad y carisma. Elementos que aprovechaba el "mimo" a su favor para burlarse de Jorge, quien se enfurecía con esos "detalles".

La actitud de Mario se debía a que en el fondo se sentía relegado, le molestaba que no se le pidiera su opinión y siempre reclamó ante Jorge su posición, llegó incluso a gritarle que era un dictador, que no tenía derecho a tomarse atribuciones. Provocando con esto que Negrete le recriminara su actitud infantil, cuando debía, como un hombre, enfrentar la difícil situación que los reunía.

No obstante, Mario volvía a la carga con desplantes cómicos que provocaban hilaridad en los presentes, confundiendo más a Jorge. Luego, después de estas "trifulcas", los asambleístas instaban a la reconciliación; los dos accedían, incluso se abrazaban, pero expresando con el gesto un: "No te puedo ver ni en pintura".

Sus pleitos llegaron a tomar matices tan serios, que Mario aprovechó un incidente ocurrido entre la actriz Leticia Palma y Negrete, para intentar acabar con él.

Dicha señora gozaba de un contrato de exclusividad, gracias a sus relaciones "extra cine" que sostenía con el productor Oscar J. Brooks. Al romper con éste y negarse a cumplir su contrato, se congelaron todos sus proyectos; buscó la ayuda de Negrete, pero su actitud fue tan violenta, agresiva y prepotente, que de él sólo obtuvo un rechazo inmediato. Surgió una lucha entre ellos, donde el más perjudicado fue Jorge: Leticia inventó que él intentó matarla echándole el carro encima, provocando un gran escándalo.

Dicen que: "A río revuelto, ganancia de pescadores"; Mario se aprovechó de la situación, al saber que Jorge lo mismo contaba con adeptos que con acérrimos enemigos del Sindicato, brindó incondicionalmente su apoyo a Leticia, esto obviamente respaldado por los "Cantinflistas". Lo que no previó, fue que a ella le naciera de pronto la ambición de convertirse en "líder"... la señora acabó por aspirar a la Secretaría General de la ANDA.

Al parecer, Mario apoyó este señuelo. En una asamblea que se realizó en el Teatro Ideal, se enfrentó abiertamente con Negrete. Su táctica: "La risa, remedio infalible". Asunto fácil, siempre logró sacar a Jorge de sus casillas, dado que el cantante se conducía con seriedad y recato. Fue un amigo periodista quien instó a Jorge para que cambiara de táctica, lo convenció a usar las mismas armas, como quien dice: le tendría que "dar una sopa de su propio chocolate".

Resignado o convencido, por cada burla y alarde del "mimo", Jorge le respondía con gran sentido del humor, de forma tan "paternalista", que después de una interminable discusión, lo aniquiló diciendo: "Está bien compañero, usted ya demostró que puede ser muy gracioso. Ahora demuéstreme que tiene la razón, que tiene las pruebas de todo lo que me acusa".

Peor que bomba le cayeron a "Cantinflas" esas palabras, así como la actitud paciente de Negrete que, en honor a la verdad, no solía mostrar. Al no poder disimular su enojo, Mario salió del lugar acompañado de sus seguidores. Uno de ellos, Rafael Banquells, quien al compartir el mismo sentimiento de coraje, rompió su credencial frente a las puertas del teatro. Por consiguiente, es lógico pensar que al coincidir Jorge y Mario en París, apenas se dirigieran la palabra.

Volviendo al tema y los motivos que tenían detenido a Negrete en ese país; su hermano David reunió a la prensa en España para explicar que las palabras del cantante fueron mal interpretadas, que su único interés era estrechar lazos artísticos entre México y España. No obstante, el problema aún no se resolvía por lo que a diario se comunicaba al Consulado Español para saber de sus gestiones. Después de unos días, don Martín Artajo (director consular de asuntos extranjeros) le concedió a Jorge la visa para entrar a España.

Jorge Negrete arribó a Madrid el 31 de mayo, siendo recibido por una multitud, especialmente mujeres que no disimulaban su entusiasmo por el charro valiente, el macho que les fascinaba cuando veían las películas mexicanas; por lo que el miedo experimentado por el artista a ser recibido con frialdad, de inmediato desapareció. Emocionado escribió:

Madrid   *Mayo 31 de 1948*

Adorada panterita mía:

Acabo de llegar a esta hermosa Madrid, y en cuanto tuve un momento de libertad para escaparme de la gente, me puse a escribirte. No tienes idea de la forma en que me han recibido, pues el cariño que hay por México es enorme.

Al llegar a la estación fue tal el alboroto que arrasaron con los guardias y los amigos que me escoltaban. De pronto me vi aislado y acorralado contra uno de los carros del ferrocarril por un grupo enorme de mujeres que se me fueron encima tratando de tocarme a un tiempo todas, tratando de arrancarme botones y corbata.

Fíjate que una histérica me agarró por la corbata, mientras otras me tenían inutilizado de los brazos, empezó a jalar de ella hasta sentir que me asfixiaba. En mi desesperación por liberarme, le di tal empujón, que fue a dar sobre un grupo de gente. En fin, todo fue vivas a México y a tu negro.

Bueno mi negrita, todo ha sido enormemente satisfactorio, solamente siento nervios por la reunión con los periodistas, están mal informados y ofendidos por los comentarios y declaraciones que aparecieron en México. Dios quiera todo salga bien, ya luego te platico. Extrañándote siempre.

Tuyo. Jorge.

Madrid   *I de junio de 1948*

Idolatrada viejita mía:

En estos momentos acaba de terminar mi juicio, pues eso fue realmente la junta de prensa que tuvo efecto hace unos momentos en el coctel que ofrecimos a los periodistas.

Resultó bien gracias a mi mente y el tacto que tuve al responder un millón de preguntas capciosas y demás, que en forma francamente hostil e indigna me hicieron. Eran más de veinte los que estaban pendientes de la menor palabra mía. Dios me inspiró para contestarles con cordura y exactitud. Me preguntaron, entre otras cosas, por qué daba yo la impesión de arrogante, que por qué me avergonzaba de mi ascendencia española y por qué la prensa mexicana me atacaba sistemáticamente. No tienes idea del ambiente tan malo.

Algunos sólo se concretaron a preguntarme de ti, de mi señora Marín; que cuándo nos casamos y que cuándo vienes. A todos les he dicho lo que ya te imaginas: que nos casamos hace un año en privado y que por eso no hubo publicidad, que eres muy linda y muy buena, que te quiero mucho y que vendrás a finales de junio, ¿te parece bien?

¡Ah! no te olvides de traer cuando vengas muchos ciga-

rros, pues aquí no hay y los pocos que se consiguen están
carísimos. Si pudieras traerme jalapeños, sería padre.
También tráeme unos rollos de Kodak de 35 milímetros y
unos cuantos más de 16 mm de movimiento, que necesita
Grovas. Recibe un beso inmenso de amor de tu viejo que te
adora.

Jorge.

Tierno, cariñoso, adorable, pero de carácter cambiante, que le
imponía respeto a Gloria, quien llegó a sentirse intimidada, incapaz
de tomar decisiones sin consultarlo; sobre todo con respecto a su
relación, la que no le gustaba ventilar, en ese sentido era tajante.
Su carácter se alteraba cuando alternaba con la actriz y su madre, por
lo que a pesar de la invitación para que se reunieran, ella actuaba
con cautela:

México, D.F., a 22 de mayo de 1948.

Negrito:

Al recibir ésta, ya tendrás una semana de estar allá. Deseo
y espero que esos días hayan sido para ti de felicidad y triunfo. Yo poco tengo que contarte. Mi cuñado Samuel y Lilí se
han preocupado por distraerme, pero a veces no lo consiguen; es que tengo la cabeza hecha nido de grillos, pero en
fin, aquí la voy pasando.
Negro, te voy hacer una pregunta y quiero que me contestes con toda sinceridad y con toda lealtad que siempre tienes
conmigo: ¿deseas sinceramente que vaya contigo a España?
Quiero que al contestarme de una forma o de otra, lo hayas
pensado bien. No te guíes únicamente por tus sentimientos
hacia mí, pues ahora lo que menos debe importarnos es eso.
Tú sabes que no quiero ser obstáculo en tu vida, por eso

hago esta pregunta. Puedes estar seguro que si me dices que vaya, lo haré tan pronto como me sea posible. Pero si me dices que no debo ir, no haré preguntas, ni reproches.

Te pido por lo que más quieras que lo que te digo no sea motivo de disgusto. Tú sabes y estás seguro de lo que significas para mí. Estás perfectamente enterado que por mil circunstancias constituyes la mitad de mi vida. En ti he encontrado la comprensión y todo el cariño que antes no tuve, así que ya podrás imaginar lo que sería para mí perderte, pero si Dios N.S. y la Virgen María lo dispusieran así, ¿qué podría yo hacer?

Nada, nada absolutamente. Solamente resignarme al castigo que por algo malo y muy grande he hecho, y pedirles con todas las fuerzas de mi alma, poder resistir el dolor y la desesperación. Espero me contestes lo más pronto posible. Mientras tanto, recibe como siempre mi cariño y mis ruegos a Dios para que seas muy feliz cerca o lejos de mí. Tuya siempre.

Gloria.

Como única respuesta, Jorge le envió un cable:

Madrid, España.   Madrid 31 de mayo de 1948

Srita. Gloria Marín   Palmas 1420 Lomas México, D.F.

Viejita: envíote todo mi amor. Espero ansiosamente tu llegada. Telefonearé el martes... Siempre tuyo. Jorge.

En México ya se anunciaba que Gloria emprendería el viaje a España, a pesar de que aquí se le ofreció realizar otra película, la cual no aceptó por esperar el consejo de Jorge. Trató de comunicarse, pero éste se encontraba de gira por varias provincias, visitaba Alicante y

Valencia, mientras se iniciaba el rodaje de "Jalisco canta en Sevilla".
El éxito lo mantenía ocupado... Nunca al grado de ignorar que las
cartas de Gloria habían espaciado:

Madrid 8 de junio de 1948

Viejita:

*Hasta ahora sólo dos cartas he recibido, me tienes com-
pletamente olvidado y ya supondrás el estado de ánimo en
que me encuentro, pues encima del trabajo tan intenso
al que me veo obligado desde que llegue aquí, tu silencio
prolongado me vuelve loco.*

*A todos los amigos que he conocido aquí, no hago otra
cosa más que hablarles de mi panterita. Hoy que me hablas-
te por teléfono, sentí una dicha tan inmensa, que casi no
podía contestar, quería irme por el audífono y llegar a ti en
un segundo. Besarte y abrazarte como nunca, en justa compensación por todos los siglos que me has hecho falta.*

*Respecto a la película que te ofrece Manríquez, te digo
con todo conocimiento, no sólo por el deseo de tenerte aquí,
que no es conveniente que la hagas. Sabes bien a lo que te
expones con ellos y máxime con el galán que te designaron,
pues habiendo hecho una Adelita como la que hiciste, no
tienes derecho a entregar tu nombre y tu triunfo a los fraca-
sados o mediocres, para que te destrocen por protegerse
ellos y su negocio.*

*Si te conviniera, a mí no me importaría que la hicieras a
pesar del dolor y sufrimiento que me causara no verte más.
Yo mismo sería el primero en no obstaculizar tu trabajo. Mi
egoísmo es tan grande, que debo confesarte mi alegría al
saber que saldrás el 24 para acá, y doy gracias a Dios de que
fueron ellos y no otros los que te propusieron esto. Sé que no
lo aceptaste y eso me da la oportunidad de darle gusto a mi
espíritu atormentado por tu ausencia.*

*El regreso de David, mi hermano, será el día 20 ó 21 del
actual, ya que no se aguanta más aquí... ¿no te lo dije? Está*

*muy bien, sólo que quiere aparentar que sigue enfermo para
que lo deje ir. Ya le dije que prepare sus cosas y se vaya
cuando crea conveniente. Pero tú ya no te retrases más vida
mía. Si al llegar alguien te preguntara por qué viajas con tu
nombre de soltera, diles que así acostumbran viajar las artistas y nada más, pero que eres mi esposa y no tienes que
negarlo, yo lo he dicho así a todo el mundo, periodistas,
amigos, y así será.*

Tuyo. Jorge.

Es evidente que Negrete se preocupaba cuando tenía que aparentar un matrimonio inexistente, su moral tan arraigada y hasta cierto
punto fuera de lugar, lo hacían tener actitudes puritanas. Sin embargo, tanto él como Gloria, acordaron no llevar a cabo su enlace, creían
que éste sería la tumba de su amor y aun viviendo juntos preferirían
considerarse amantes.

La actriz sabía que un papel firmado no haría que la amara más a
diferencia de Jorge, pocas veces se mostró cohibida por esta situación, de hecho, se divertía cuando los periodistas le preguntaban al
respecto, mentía, pero más que por cubrirse ella, lo hacía por el cantante.

Una escena de amor, que arrebató aplausos...

La madrugada del 26 de junio, dos estrellas rojas y otras color verde, aparecieron en el cielo de Barajas anunciando la llegada de un
avión mexicano; Gloria venía entre los pasajeros. Nuevamente se
escenificaría un episodio amoroso, pero esta vez en el marco del suelo español, ante gente, que sin dejar de apreciar su valor como artistas, aplaudió el efusivo abrazo y el prolongado beso, hasta que la
figura de los artistas se perdió entre los pasillos.

Pocos días disfrutaron la privacidad de su alcoba. Desde su llegada a esa tierra, los dos eran motivo de asedio por parte del público y

la prensa, la que aún mantenía con temor al cantante, obligándolo a mostrarse amable y accesible, de hecho, la influencia de Gloria lo dulcificó.

Jorge ya no tenía inconveniente en que Gloria gritara a los cuatro vientos que se amaban y formaban un matrimonio feliz. Así lo muestra un rotativo de España:

Madrid, martes 3 de agosto de 1948
"Dígame". Por: Kotska.
Gloria Marín afirma que Jorge es un hombre amante del hogar y que a ella no le molesta que las demás mujeres lo admiren.
   —Sería interesante conocer la opinión que tiene de su marido:
   —*Es un gran artista*—.
   —No, no es eso lo que pretendo. Hábleme de su esposo, no del artista. Verá usted, todos los hombres tenemos defectos, ¿cuáles son los de Jorge Negrete?
   —*Para mí no posee ninguno, me he casado con él. Con eso, manito, te dije todo.*
   —Yo diría que se deja llevar por su pasión de esposa.
   —*Está en un error. Mire, Jorge tiene 36 años, pero es un chiquillo de doce. Es cordial, atento con todo el mundo. No se le olvida nunca un detalle. Jorge es un caballero, además es amante del hogar: soy feliz.*
   —¿Completamente feliz?
   —*Pues ¡claro!*
   —¿No le molesta un poco la popularidad de su marido?, ¿sabe que las demás mujeres lo admiran?
   —*No me molesta en lo absoluto.*
   —¿Es posible?
   —*Le hablo en serio.*
   —¿Eso quiere decir que usted no es celosa?
   —*Todas las mujeres lo somos. Lo que ocurre es que en nuestra profesión... usted sabe, uno se debe al público y es preciso transigir. Al principio cuesta trabajo, pero todo es acostumbrarse.*
   —Antes de venir usted a España se dijo en una revista cinematográfica que en México corría el rumor de un posible divorcio...

—¿Divorciarnos nosotros?, ¡Jesús, manito, qué cosas inventan! Si para nosotros aún no concluye la luna de miel.

—¿Cuánto tiempo llevan de casados?

—Año y medio.

—Usted es mucho más joven que él, ¿verdad?

—Mucho, no, ¿qué edad cree que tengo?

—Pues, pues...

—Veintinueve años. No oculto mi edad a nadie. ¡Ah! y no me quito ni un solo día.

Efectivamente, siempre la tuvo sin cuidado su edad. Era sencilla y al igual que Jorge, extremadamente hogareña, cuidaba personalmente los detalles de su casa, y aun obligada a pasar gran parte de su vida en hoteles por exigencias de su trabajo, se ocupaba de las pequeñas cosas que la hacían recordar su hogar de México. El arreglo de las flores era uno de sus pasatiempos predilectos. Su sentido del orden era tan estricto que no podía ver una silla, un cuadro torcido, porque en seguida los acomodaba, así fuera la casa de algún extraño.

Un "vicio" gracioso, según Jorge, que lo llevó en alguna ocasión a señalárselo sutilmente cuando fueron invitados de honor a la Casa Presidencial de Juan Domingo Perón y su esposa Evita. Los cuatro realizaban un recorrido por aquella majestuosidad, intercalando amena charla, cuando el cantante advirtió algo con verdadero horror: su mujer se acercaba demasiado a los cuadros de grandes personajes, mismos que para su desgracia se encontraban mal acomodados. Nunca sufrió tanto como en esos momentos, que angustiado pensaba: "No vaya a meter sus manitas".

Obviamente, fuera de la expectación, el asunto no pasó a más. La actriz sabía con quién ser prudente. Esto quedaría entre ellos como una de las anécdotas más divertidas. Sus manos no sabían estar ociosas, siempre se veía en apuros por esta manía, como le sucedió en el hotel donde se hospedó llegando a España, cuando el servicio de limpieza tocaba a su puerta para asear la recámara, invariablemente ella ya la tenía dispuesta y se disculpaba: "Lo siento, venga mañana más temprano, es que no me gusta ver el cuarto tirado".

Poseía el hábito de caminar; a menudo daba largos paseos por la Gran Vía, sin faltar sus escapadas a céntricas calles donde se detenía

Uno de sus mayores atractivos eran sus ojos. En España le obsequiaron el mejor piropo: "¡Es usted el primer premio de ojos a pie!".

a observar los grandes escaparates, le fascinaba la moda europea. Al fin mujer y vanidosa, disfrutaba de lo que provocaba su mexicana belleza al caminar recibiendo todo tipo de piropos, como el que le ofrendó un hombre español, que admirado por su belleza le gritó emocionado: "Es usted el primer premio de ojos a pie". Y es que en persona superaba en mucho la imagen que daba en la pantalla.

Ella misma aceptaba que no era fotogénica, lo decía sin complejos. Pocas veces ante los reporteros pedía tiempo fuera para retocarse. Le llenaban más los piropos espontáneos cuando mostraba su belleza natural.

Cierto día, estando en la habitación del hotel en compañía de Jorge, Los Calavera y otros tantos amigos que se encontraban reunidos ahí para comer, llegó de improviso un periodista de nombre Barreira. El sujeto buscaba a toda costa contactar con la pareja para realizar una entrevista. Sin el menor tacto de su parte esperó a que la puerta se abriera para introducirse de inmediato y lograr su objetivo. La sorpresa fue mayor a todas sus expectativas: encontró a la actriz vestida con una bata casera, calzando unas sandalias chinas, extremadamente graciosas y sin gota de maquillaje.

Era de suponer que ante aquel atrevimiento, la estrella se mostrara más que disgustada. No obstante, ella sonrió a la cruda luz y la rapidez de las instantáneas, advirtiendo al intruso: "No habrá poses, ni arreglos, tal como estoy, total, no soy fotogénica".

Jorge intervino, y secundando a su mujer comentó al reportero en son de broma: "Si la hubiera conocido usted de pequeña, mire, era una bola así de grande", provocando la risa incontenible de Gloria, quien posaba abiertamente, sin complejos. Luego, se tiró en el sofá y animó al asombrado sujeto a cumplir con su trabajo: ¿A eso ha venido, no?

—¿Contenta en Madrid? —preguntó.

G.M. —*Contenta, a tal grado, que temo ustedes lo tomen como adulación. De Madrid he visto sus barrios viejos, tan bellos, que hay que pellizcarse para convencerse de que todo aquello es verdad, que no se trata de un decorado.*

—¿Son felices... o ya les pesa su matrimonio?

J.N. — *Podría pesar si estuviera viviendo con una mujer que no amo. ¿Se me nota acaso el cansancio? No cuate, ella y yo nacimos para querernos, mejor tómate un café y conversemos.*

Sirvieron café, comentaron sobre sus proyectos artísticos. Más tarde se despidieron del periodista, quien rendiría con su nota tributo a la fama que se veía, no alteraba la profunda serenidad de esa pareja simpática y triunfadora.

En esa misma época, la belleza de María Félix también ya cruzaba esas fronteras. Se encontraba trabajando en el equipo de Suevia Films, en Nápoles, Pompeya y demás lugares. Ya no era una desconocida, llevaba en su haber un sinfín de películas; una de ellas "Maclovia", por cierto, duramente criticada por la prensa: "Nos duele registrar la decepción que tras magníficos filmes de la vez anterior, han causado los dos traídos por México al Festival Veneciano. Estas nuevas películas, en cuanto a fotografía y recursos técnicos, nada nuevo aportan. En cuanto a dirección —lo que por ejemplo en 'María Candelaria' fue reconocido como arte puro y como estilo noble—, se ha convertido en reiteración de fórmula y amaneramiento, como es el caso de 'Maclovia' protagonizada por la bellísima María Félix".

De sobra es conocida la prepotencia de la Félix, así que dudo esto le haya hecho mella. Esta película ganó el premio a la mejor fotografía (Gabriel Figueroa) en el festival de Karlovy Vary en Checoslovaquia y un galardón a los técnicos mexicanos por la brillante realización de la misma en el Festival de Bruselas.

María ya no era la principiante de "El Peñón de las ánimas", la mujer que consiguió sacar de sus casillas a Negrete; gozaba de fama y popularidad, aunque en honor a la verdad, parte de ésta se acrecentó al casarse con el talentoso compositor Agustín Lara.

Un piano, unas rosas y una fotografía de Agustín con una cariñosa dedicatoria a María, fueron más que prueba suficiente para un osado periodista (al parecer amigo de ella), al cual "La Doña" confesó "inocentemente" de sus amoríos con Lara. Luego trataría de desmentirlos; no estaba segura si "El Flaco" le saldría con sus desplantes; cosa que no ocurrió, el señor, haciendo gala de caballerosidad, se concretó a responder a la interrogante: "lo que diga María es lo que yo digo".

Y se casaron; suceso al que la gente no daba crédito... ¿Cómo podía un hombre tan feo, aspirar a tan bella hembra? Lara era un compositor respetado, querido y muy admirado por el público, pero ni así se salvó (al igual que María) de todo tipo de burlas y críticas mordaces.

Causó tal polémica su relación, que incluso llegó a representarse (en alguna carpa o teatro de revista) una obra hecha al vapor, pero con mucho ingenio, del suceso del momento. Llegaron a llamarlos: "La bella y la bestia" o a gritar frases al aire como: "No se asombre, si hoy María come hueso".

Para muchos esa unión resultaba inexplicable. No creían en la súbita atracción de ella hacia él. Cuando en realidad María, desde mucho tiempo atrás, solía escucharlo en la radio, le movían las fibras más íntimas aquellos temas del compositor, sobre todo los que hacían alusión a la mujer sufrida, maltratada. Le calaban muy hondo y su mayor ilusión era conocerlo.

Fue Tito Novaro, gran amigo de Agustín, quien los presentó en la "W". María lucía una belleza extraordinaria; sin embargo, a él no le causó gran impresión. Dicen que "La Doña" no vestía bien, o al menos, no al gusto del músico poeta. Él podía carecer de atractivo físico, pero nunca se mostró inseguro. Su desdén provocaba que las mujeres se le rindieran y la Félix cayó en esa seducción. No cabe duda: "Verbo mata cara".

Agustín de alguna manera convertía "ese verbo" en hermosas estrofas, hiladas con bellas melodías, significando su mejor arma.

Finalmente, ese matrimonio no duró mucho. María lo encontró haciéndole la corte a una "vedetilla" y la temperamental actriz se concretó a mandarle sus pertenencias (envueltas en una sábana) por medio del chofer, encargado del fatal mensaje: "Dice la señora que aquí tiene sus chivas".

El Dr. Gaona, empresario taurino, Jorge Negrete y Gloria Marín.

8

Una vez más sola en México...

Cinco meses habían transcurrido disfrutando su estancia en España en compañía de Jorge. Todo indicaba que su amor se revitalizó y que podían afrontar una nueva separación que se dio a mediados de noviembre. Otros la ocuparían a su llegada: amigos, mariachi y fiesta, para más tarde enfrentar sus ineludibles compromisos de trabajo.

Por su parte, Jorge viajaría a Londres para tomar un barco en compañía de su mamá y su hermana Teresa. Redactaría nuevamente sus cartas, para luego enviarlas juntas llegando a Nueva York. Eran su refugio, una plática con Gloria, donde podía plasmar sus experiencias y sinsabores. Utilizaba invariablemente papelería del barco y en forma cronológica las narraba:

Londres. 24 de noviembre de 1948

Viejita de mi vida:

Cuando éstas lleguen a México, ya estarán gozando de tu presencia en esa tierra linda que tanto hemos añorado todos estos meses tan duros que pasamos lejos de ella.

Por mi parte, te diré que estoy desesperado. Nunca me había sentido tan miserable y tan poca cosa, pues a causa de la huelga de los estibadores de N.Y., nos tienen detenidos en

este país en un clima tan malsano y apenas qué comer. Por
mí no me preocupo, pues al fin puedo resistir lo que sea,
pero mi mamacita se enfermó en París y aquí la humedad y
la niebla la empeoró.

Si a todo esto le agregamos tu ausencia; esto es insoportable. Discúlpame mi amor si te lo digo, pero no puedo des-
ahogarme con mamá por tener que darle aliento. Lo hago
contigo, a quien debo toda mi tranquilidad y para quien
dedico todo mi amor que no creo exista mayor en el mundo.
Perdóname nuevamente.

Tuyo siempre. Jorge.

"Queen Elizabeth"   Noviembre 28 de 1948

Negrita:

Por fin, después de muchas dificultades, logré cambiar
mis pasajes del "Queen Mary" por el de "Queen Elizabeth",
pues éste es el primero en salir. Pude conseguir dos camaro-
tes bonitos. El más chiquito para mí y sin baño. Me hubieras visto cargando yo mismo el equipaje, ya que los
cargadores de muelle se negaron a trabajar en sábado. Así
pues, tomé mi carretilla y transporté baúles y maletas, del
tren al barco, ¡te hubieras muerto de risa! Estas cartas no te
las podré mandar hasta llegar a N.Y., pero te escribiré diariamente como si fuera un relato de mis peripecias. Hasta
más tarde, viejita linda.

"Queen Elizabeth"   Noviembre 28 de 1948

Negrita:

Figúrate que no pudimos salir hoy a causa de la niebla

espantosa que ha caído sobre el Canal de la Mancha y que impide toda visibilidad a veinte metros de distancia.

Dicen que es la peor niebla que recuerdan ha caído sobre Inglaterra. Ya te podrás imaginar cómo estoy de ánimo. Me siento prisionero en esta "jaula de oro" y para no aburrirme, hasta le enseñé a jugar "gin" a mi mamá. Aunque mientras ella se divierte, yo me dedico a recordar los días felices que pasamos juntos en Europa, ¿qué te parece?

(Lunes a bordo)   *29 de noviembre 1948*

Viejita:

Otro día más de retraso a causa de la niebla, no sé si cambiar los pasajes o irme en avión, aunque también los vuelos están suspendidos. Tanto la tripulación como los pasajeros estamos desesperados. Se me olvida decirte que recibí tus cables y me da mucho gusto saber que en el último te acordaste de mis 37 años. No me canso de bendecirte siempre. Tuyo Jorge.

30 de noviembre de 1948

(Martes, mi cumpleaños)

Panterita linda:

¡Vaya cumpleaños que me tocó..! Hoy tampoco salimos y esto ya rebasa los límites de mi paciencia. Cada día que no zarpamos, es un día menos de estar contigo. Lejos de mis amores de mi hijita y de mi tierra incomparable. La vida a bordo es insoportable y todos los pasajeros nos aburrimos de lo lindo. No hay nada qué hacer, si no es comer, andar por la cubierta y tratar de dormir.

Ya todos nos vemos con caras hoscas, malhumoradas y nos caemos mal unos a otros. Aun así, hoy hice amistad con dos señores de edad que son jugadores de "gin" y me han invitado a echarme un partidito de a centavo el punto. Sólo jugaré una manita a tu salud y ojalá les quite unos centavos. Hasta mañana amor mío.

(Jueves)   Diciembre 2 de 1948

Mi inolvidable panterita:

Este es el segundo día de travesía y no tengo otra novedad que contarte, que no sea la de apreciar una tormenta que ha tirado en la cama al 80% de los pasajeros, incluyendo a mamá y a Tere. No te imaginas lo fuerte que está, lanza todo de un lado a otro y el barco que pesa 83 mil toneladas parece una chalupa que anduviera entre las olas de Hornos en Acapulco. Son tan altas las olas, que llegan hasta la cubierta superior del barco donde están los botes salvavidas. Si estuvieras aquí, cómo ibas a gozar con el espectáculo maravilloso. Aunque todo esto ha provocado que Tere no coma y que mi mamá haya vomitado lo que comió, por lo tanto, voy a exigir un descuento.

P.D. Mamá me trae muy cortito y no me deja ni un momento, pues siempre quiere estar conmigo.

(Viernes)   Diciembre 3 de 1948

Nada de árboles amorcito, pues el reino de Neptuno no quiere apaciguarse. Esta tarde vi una película de Bette Davis, horrorosa ella y la cinta. Como estaba solo, y los movimientos del barco son fuertes, me dormí hasta que vinieron a despertarme.

¿Sabes? me la paso pensando: ¿Por qué no habrá barcos

voladores y directos a México? Acá, a todos les enseño tu retrato y les platico de ti para que vean lo que es bueno. La verdad es que ya no sé si voy o vengo. En la noche no hago otra cosa que acordarme de ti y dormir con la imagen de tu cuerpo en mi imaginación, ¿ya estoy grave Negrita, no es cierto?

Jorge Negrete era un hombre atractivo y poseedor de una gran personalidad. Indudablemente cualquier mujer a bordo se hubiera ofrecido encantada a mitigar su pasión, sin importar ser amor de una sola noche:

(Sábado)   *Diciembre 4 de 1948*

Negrita:

Aparte de aburrido, me encuentro mareado y abandonado por tus besos. En lo que se refiere a mujeres en este barco, no hay una que merezca mención; todas son unos loros horrorosos, ¡palabra! Con decirte que hacen ver a mi hermana Teresa como una belleza mundial.

Hay un grupo de ellas que están tan feas, como ya no es posible más. Todas tienen cara de pájaro prieto y chupado. Así que no hay nada que pueda distraerme de mi hermosa viejita. Y aunque hubiera, tampoco me haría efecto alguno. Puedes creer que en esta ocasión mi integridad y fidelidad están más que aseguradas, pues estas guacamayas hacen que se esfume cualquier mal pensamiento que pudiera tener hombre alguno.

(Domingo)   *Diciembre 5 de 1948*

Linda:

Se me olvidaba decirte que te estoy haciendo una canción

te cuide, te proteja y te ilumine.—
¡Miles y miles de besos de tu viejo
que te adora en todo momento y que
no se cansa nunca de bendecirte.
tuyo siempre,

Jorge

Nov. 30 (Martes — Cumpleaños)(37)

Penterita linda:

¡Vaya cumpleaños que me
tocó! No salimos hoy tampoco, a causa
de la niebla. ¿Será que Dios N. S. no quiere
que salga antes del día primero? Ojalá
que mañana ya se despeje esto y podamos
proseguir hacia América, pues esto ya
pasa los límites de mi paciencia, estoy
con los nervios de punta, pues cada día
que pasa sin que zarpemos, es un día
más que estoy lejos de mis amores: mi hija,
mi mujercita adorada y mi tierra incomparable.— La vida a bordo se hace imposible
y todos los pasajeros se aburren de lo lindo pues no hay nada qué hacer, como no
sea comer, andar por cubierta y tratar
de dormir. Todos nos miramos con caras
hoscas y malhumoradas y ya nos caemos

Carta escrita por Jorge el día de su cumpleaños en alta mar.

mal uno a otros. — Quiera N. S. concedernos salir mañana, para que así recobren los nervios y alcemos con buena cara el futuro arribo a las playas americanas, y que la esperanza de volvernos a encontrar con nuestros seres queridos y lejanos por ahora, sea nuestro incentivo, nuestro aliciente, para ser hombres más convenientes y más tranquilos. — Hoy hice amistad con dos señores de Los Ángeles, hombres de cierta edad, — que manejan en California, la Cía. de Seguros, Lloyd y que son muy importantes allá. — Estos señores, son furibundos jugadores de gin, y que han invitado a jugar con ellos a centavo el punto. Voy a ver si, en los ratos de descanso que tiene mamá, puedo echar una manita a tu salud y ojalá le quite unos centavos. — Bueno amor mío, hasta mañana a ver si ya te tengo e más noticias. Cuídate mi vida y no te olvides que no dejo de quererte ni un instante, tu Jorge *y creo que me está quedando bonita. Fíjate que mientras trabajaba en ella, la puerta de mi camarote se abrió de pronto y entró un tipo completamente borracho. Al principio no lo reconocía, pero luego me di cuenta que se trataba del artista Dana Andrews, quien se metió por equivocación a mi cuarto. Le dije quién era yo, y al saber que era mexicano, se deshizo en elogios para nuestro país, pero en desprecios para todos nuestros gobernantes... Ya te imaginarás cómo le contesté. Acto seguido, lo agarré y saqué de mi camarote. ¡Qué fresco!, ¿verdad? Hasta mañana vida mía, piensa en tu prieto.*

(Lunes)   *Diciembre 6 de 1948*

   Solamente unas líneas para decirte lo feliz que me siento al ver las playas y la bahía de N.Y. Tengo tanto gusto, que siento algo muy raro en la garganta. Una ansiedad y un palpitar en el corazón, pues seguramente él ya se prepara a recibirte y derramarse sobre ti.

Jorge llegó a Nueva York los primeros días de diciembre, sin imaginar que dos meses después estaría de vuelta con Gloria en la ciudad de los rascacielos. Llegaría él un poco antes, ella un mes después:

Jueves 10 de febrero de 1949
El Diario de Nueva York.

   "Gran recibimiento le tributan a Gloria Marín en Nueva York"

"Gracil como enorme pájaro de acero, aterrizó esta mañana en el aeródromo 'La Guardia' el avión procedente de México. Un grupo que esperaba a una interesante viajera, presenció una escena de amor que daría envidia a cualquiera. Gloria Marín, la maravillosa morena del cine mexicano, se confundía en fuerte abrazo con Jorge

Negrete, el más charro de todos los charros de la pantalla. La censura no pudo objetar nada porque Gloria es esposa del cantante. Después del 'clinch' nadie se atrevió a dictar ¡corte!".

Adolphe Manjou (amigo de Jorge), no quería creer que Gloria fuera mexicana. Se encaprichó con la idea de que descendía de españoles, se resistía a pensar que en México hubieran mujeres tan atractivas. Otros más enterados, con influencia dentro de la órbita hollywoodense, le dijeron a la actriz: "Quédese, con dos años de estudio y aprendiendo el idioma, triunfará en Hollywood".

Sin desplantes, ni afán publicitario, Gloria rechazó los ofrecimientos. Consideraba que se debía al cine nacional y que de él disfrutaría de la consagración; sin detenerse a considerar las ventajas de una oferta que superaría a la que en un momento le hicieron a Esther Fernández. Declinó el privilegio de quedarse ahí atendida, cuidada y aleccionada por un ejército de especialistas, para hacer de ella una rival de las mujeres más hermosas de la cinta de plata. Increíble, pero cierto. En los recortes periodísticos que ella guardó, encontré innumerables notas donde se deshacían en elogios por la estrella: "Viva, viva Gloria Marín, más Hedey que Hedy Lamarr".

Cuando se presentó en Los Ángeles, en el foro de uno de los cines de Frank Fouce, también recibió grandes demostraciones de afecto y simpatía. Pero ni honores, ni homenajes, ni tentadoras proposiciones, la hicieron olvidarse de México. Hollywood, con sus mil tentaciones, no le arrebató el embrujo de su suelo.

En Nueva York la pareja artística fue recibida tan bien, que los nombraron embajadores del cine mexicano. Con ellos se presentaban "Los Calavera", que ya para entonces se paseaban como triunfadores lo mismo en América que en Europa. No había otro tipo de espectáculo por el que los teatros amenazaran con venirse abajo, cuando Jorge, portando sombrero, zarape y vestido de charro, hacía acto de presencia.

La atracción que ejercía en las mujeres, lo sometía a todo tipo de asedios. Algunas se conformaban con un beso apenas marcado en la mejilla, llevándose en la mano la clásica dedicatoria escrita en un papel, apenas garabateada por el artista. Otras, verdaderamente enloquecidas, utilizaban una y mil artes para penetrar en su camerino, donde lo estrujaban, lo manoseaban y se ponían a sus órdenes para lo que se le ofreciera. Atrevimientos que a Gloria la ponían furiosa, no era una roca, sabía hasta qué punto ser paciente.

Alguna vez comentó de lo más divertida, que estando precisamente en Nueva York, pescó "in fraganti" a una gringa: rubia exhuberante, que con su abrazo parecía casi asfixiar al cantante. Una escena, según ella, de tan mal gusto, que la obligó a tomarla del brazo fuertemente y casi arrastrarla hasta la salida del teatro. Luego, un sagaz periodista que observó la escena, le preguntó con actitud inocente, si a ella no le molestaban las demostraciones fogozas que las mujeres tenían con su marido. De la que obtuvo tajante contestación: "Yo no hablo bien el inglés, no entiendo nada de lo que usted me dice".

Pocas veces Gloria reaccionaba así. Le gustaban las demostraciones de cariño hacia Jorge, siempre y cuando no llevaran otra intención, al menos no tan abierta como la de aquella gringa. Otra cosa era la impotencia que sentía cuando Negrete se mostraba interesado en alguna compañera de trabajo, ahí sí se ponía a temblar.

Y es que "ciertas amigas" actrices se ocupaban de enterarla de los avances de ese romance, dejándola en un estado anímico deplorable, con más razón, si éste trascendía al dominio público, la lengua viperina de algunos periodistas que gozaban con tratar de separar a la pareja de artistas. Era cuando ella se alejaba temporalmente del cantante, o en el peor de los casos, tomaba revancha y se hacía acompañar de otros actores. Tal fue el caso de Armando Silvestre, un flirt que ocupó, por su brevedad, poco espacio en las notas escandalosas que llegó a escenificar la actriz.

Los dos affairs más comentados en el medio por parte de Jorge, que por cierto duraron poco tiempo debido a que siempre volvía a los brazos de Gloria, fue con la actriz norteamericana: Joan Page, la misma que trabajara con él y con Gloria en: "Siempre Tuya", donde irónicamente la trama trata de cómo la "gringa pelos de elote", le baja su galán a la tierna y sumisa mujer mexicana, en este caso Gloria; algo ficticio que a lo largo del rodaje se convirtió en realidad.

Otra de las mujeres que logró seducirlo, es la todavía hermosa Elsa Aguirre. Con ella filmó "Espino Rojo" o "Lluvia Roja" en el año 1949, película donde también trabajó Julio Villarreal. Veterano actor que debió gozar el acercamiento de estos artistas, debido a que al participar en "Historia de un gran amor", en 1942, personificó el papel de padre de Gloria, cuando en la vida real era padrastro de Elisa Christy, en ese entonces todavía esposa de Jorge. Si en esa época soportó las demostraciones amorosas de la pareja, ahora tenía la oportunidad de ver cómo Jorge se involucraba sentimentalmente con la Aguirre.

En los estudios de Warner Bros, en Hollywood, Gloria fue retratada en medio del actor francés Victor Francen y el actor norteamericano Bruce Cabot.

Humphrey Bogart, Gloria Marín y Paul Henreid en el foro de la compañía Warner donde se filmaba "Casablanca".

Cena de amigos: Gloria, Jorge, Joan Page (con la que trabajaron en "Siempre Tuya"), Libertad Lamarque y el gordo Vidal.

Cuantas veces podía Jorge se la comía a besos sin esperar el aplauso de los presentes.

El argumento de "Lluvia Roja", escrito por José Goytortúa, trataba el tema de la Revolución Cristera en Michoacán, Jalisco y San Luis Potosí. Elsa Aguirre debía interpretar a una mujer con gran fuerza de carácter e incluso agresiva, características muy del tipo de la Félix y muy lejanas a Elsa. Por lo que el actor, en un intento infructuoso por despertar en ella esa "garra", se citaba con la novel actriz en el estudio del gran músico Manuel Esperón.

En cuanto a materia de amor, puede decirse que los dos pasaron esa asignatura con seis; finalmente no se desencadenó la "química", menos hizo explosión. Respecto a la intención de Negrete por convertirla en una mujer diferente, de plano la reprobó. Indiscutiblemente Elsa era bellísima, de quitar la respiración, pero fue y sigue siendo una mujer retraída, tímida, jamás contó con esa personalidad arrolladora, cautivadora de grandes masas.

En esa época los rompimientos entre las parejas artísticas eran noticia de primera plana: que si el Indio Fernández abofeteó a Columba Domínguez y luego se reconciliaron; que Manuel Medel se estaba divorciando de Rosita Fornés... Y, por supuesto, que la separación de Gloria y Jorge se debía a Elsa Aguirre:

"La guapa Gloria Marín se encuentra descansando en San José Purúa, donde pasa ratos de ocio tratando de olvidar a Jorge Negrete, con quien, por más que se diga, no se ha reconciliado".

Jorge, "El Charro Cantor", al fin hombre, animal de costumbres y de mitos, tenía sus grandes alcances, así como sus debilidades. Amaba con locura a Gloria, ni dudarlo... Pero también tenía ciertas actitudes que acababan por decepcionarla. Le causaba un efecto terrible enterarse de los rumores de sus repentinos enamoramientos los que, por desgracia, llegaban a sus oídos con lujo de detalles por sus propias compañeras: "Ve don Fernando —le comentaba triste, al amigo periodista—, otra vez me han llegado los chismes. Yo sé que Jorge no tiene que buscar a las mujeres... Ellas le llegan como moscas. Sé que la carne es flaca, él es hombre, pero al menos debía ser más discreto ¿no?".

Mujeriego no era, hasta eso, era bastante selectivo, pero tampoco puede afirmarse que fuera una blanca paloma. La carne es flaca (como decía Gloria) y él no fue un amante insobornable. Tuvo sus romances, sin que ninguno rompiera el lazo que lo unía a Gloria. Simples amoríos que para un hombre no significan nada. No obstante, a su mujer acaban por quebrantarle la fe, la confianza y la voluntad.

Cary Grant y Jorge Negrete departiendo con un grupo de funcionarios de la Warner en los estudios de Hollywood.

Gloria, elegantísima, como solía ser.

Más que nada la voluntad; Gloria ya no se sentía con fuerzas para seguir luchando contra el rechazo sistemático de la familia de él. Muy al principio se prometió que esa situación no sería nunca causa de discusión o alejamiento. Sin embargo, esa actitud fría y distante que Jorge le mostraba cuando alternaba con ellos, la desarmaba. Si la escogió como mujer, aun en su contra, no se explicaba la transformación que en él se daba. Le era difícil ver a un hombrón del calibre de Negrete, tan apasionado y vehemente, capaz de transportarla con sus caricias al clímax de sus deseos, convertido de pronto en un chiquillo sometido delante de su madre, incapaz de romper el cordón umbilical que los unía, como si en ello se le fuera la vida; a tal grado que ella sufrió las repentinas escapadas del cantante al hogar materno, que incluso duraban días. Aspiraba a llevar un matrimonio normal, pero sentía que ese deseo nunca le sería cumplido.

Por otro lado, la casi enfermiza dedicación que él tenía por su trabajo en el Sindicato, le provocaba cambios drásticos de carácter, pasaba de la amabilidad al enojo de una manera impresionante; cuestión que influyó en el ánimo de Gloria, quien sabía que ésto repercutía negativamente en su relación, incluso ponía en peligro la salud y la carrera artística del cantante, ya que mientras él se enfrascaba en problemas laborales, dejaba a un lado los compromisos que tenía con su propia profesión.

Parece mentira, pero hasta el periodista "Lumiére", que muchas veces lo atacó, dio a conocer esta situación en una de sus notas: "Jorge Negrete está en Cuautla filmando 'Espino Rojo' con Elsa Aguirre. Por cierto que a Jorge el puesto de Secretario General de la ANDA le cuesta además de miles de molestias, muchos miles de pesos. Se calcula que él ha dejado de ganar unos setecientos mil dólares por no haberse presentado en los teatros de muchas plazas. Países que lo llamaban cuando él estaba aquí, enfrascado en espinosos problemas sindicales.

"Para formarse una idea, bastaría decir que su última gira por Venezuela le produjo 26 mil dólares. Para su desgracia, aparte del dinero, Jorge ha dejado en el puesto sindical parte de su salud: 'No espero agradecimiento de nadie —dice Negrete—, pero no resisto verme cruzado de brazos, cuando puedo ser útil a una causa' ".

Ninguna mujer, ningún escenario por más importante que fuera, llegó a excitar tanto a Jorge como su posición como líder. Tal parecía que lo que un día compartió con Gloria (ella participó arduamente a su lado en la lucha sindical), años después sería una de las causas que los estaba distanciando irremediablemente.

Jorge registrándose a la entrada del "Queen Elizabeth" para iniciar la travesía.

9

Jorge Negrete: un idealista

No es mi interés profundizar en el aspecto de la lucha sindical de Negrete. Tengo entendido que alguien ya ha tocado este tema hasta el cansancio. Aunque debo admitir y señalar que Jorge siempre luchó por lograr que sus compañeros artistas tuvieran un sitio, el respeto y las garantías de que su trabajo fuera bien remunerado. Amaba la justicia y cuantas veces podía enfrentar al enemigo, no se detenía a pensar que por ello exponía hasta su vida. Uno de los enfrentamientos más fuertes fue el que se generó entre el STIC (Sindicato de Trabajadores de la Industria Cinematográfica) y el que sería más tarde reconocido como el STPC (Sindicato de Trabajadores de la Producción Cinematográfica de la República Mexicana). Jorge peleaba una mejor posición para sus compañeros artistas, mientras los productores consideraban sus peticiones como excesivas.

Fue así que se enfrascaron en pleitos continuos llegando hasta los golpes, surgiendo una lucha tan encarnizada, que no faltaron balazos y encuentros sangrientos. Parece ficción, una versión exagerada; sin embargo, los ánimos se caldearon y se desató la guerra; máxime que Enrique Solís, líder del STIC, experto en asuntos laborales, arbitrariamente vendió el edificio que pertenecía a este sindicato, provocando que el gremio artístico montara en cólera, que si bien no estaba del todo unido, en esa ocasión protestó enérgicamente. Fue acusado de malos manejos, expulsado como líder, quedando en su lugar Salvador Carrillo, quien fungía hasta ese momento como Secretario General del STIC.

Poco le duró el gusto a Carrillo, Gabriel Figueroa lo acusó en una asamblea de ser cómplice de Enrique Solís en el asalto que se llevó a cabo en la sección 2 del local del STIC, de donde sustrajeron muebles y documentos muy importantes; lo que generó que Carrillo golpeara a Figueroa y que Mario Moreno "Cantinflas", en ese entonces inseparable de Jorge, se le fuera encima a un tal Miguel Molina.

Ya no hubo tregua. Por decisión de Jorge y secundado por Figueroa y Mario, tomaron los estudios cinematográficos (Clasa y Azteca), donde a punta de rifles y metralletas evitaron la entrada de Carrillo y sus seguidores. Todo aquello parecía una película de acción, una guerrilla en la que figuras como: Pedro Infante, Sara García, Dolores del Río, Manolo Fábregas, Carlos López Moctezuma, Joaquín Cordero, Pedro Armendáriz, María Elena Marqués y tantos otros, unieron su fuerza a la de Jorge en tan dura lucha.

Estaba claro que el STIC pretendía adueñarse de los estudios, pero el grupo de Jorge se les adelantó y estuvieron acuartelados durante ocho días. El respaldo de Gloria siempre presente, encargándose de Previsión Social, abocada a llevar medicinas y comida el tiempo que durara tan crítica situación. Puedo decirse que el encierro terminó cuando las altas autoridades intervinieron, reconociendo como justas las peticiones hechas por Negrete. Aun así, los productores amenazaban con suspender toda producción cinematográfica, pero cedieron ante la actitud inquebrantable de los que lucharon por tan justa causa. El STPC por fin fue reconocido; indudablemente Jorge quedó al frente.

Tocando un poco el tema de la ANDA (Asociación Nacional de Actores). Reconocida la paternidad de Jorge, cabe mencionar que el espíritu gremial de Gloria era tan sincero, que años después, ya desaparecido él, ella tomó parte muy activa en el movimiento femenil "Rosa Mexicano" que encabezaba Dolores del Río, y llegó a ocuparse de la tienda de la Estancia Infantil, que repartía regalos de Reyes a los hijos de sus agremiados.

Ella comulgaba ideológicamente con Jorge, le apasionaba la política y llamaba cretinos a los que aun viviendo en la comunidad, parecía que se la pasaban montados en una nube: "Creo que todo individuo: actor, ferrocarrilero o lo que sea —puntualizaba—, debe ser parte activa en la vida política de su país. Sin entender por ello, que debe ser diputado, senador o Presidente de la República. Una persona que no pretende ocuparse de lo que sucede a su alrededor, no sólo es un egoísta, es un total cretino".

Respecto a su relación con Jorge y la combinación con su "quehacer político", alguna vez comentó: "Fue fácil, porque los dos pertenecíamos a la misma profesión. Teníamos las mismas exigencias, los mismos ideales; todo era perfectamente compatible".

¿Dónde perdieron la brújula? ¿Cuándo empezaron a navegar por distintos rumbos..? Su historia de amor, aún tiene capítulos pendientes.

Jorge, Gloria y Libertad Lamarque. A la derecha el periodista Carl Hillos.

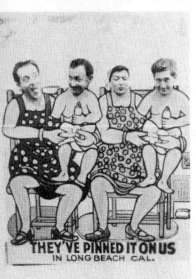

Gloria y Jorge se divertían como dos chiquillos. Estas fotos tomadas en uno de sus viajes revelan su gran sentido del humor.

10

¿Un Amor agonizante?

Parte del año 1949 se habló con insistencia de su ruptura. Los encabezados de las revistas tocaban este tema a diestra y siniestra, sin que en realidad alguien supiera a ciencia cierta lo que estaba sucediendo con el amor de esta pareja.

"La Prensa Gráfica", con fecha 29 de junio de 1949, vertía su comentario: "De Gloria Marín, nos hemos enterado que abandona a Jorge Negrete. Divorciándose de él después de ocho años de casados. Ella saldrá en estos días para Buenos Aires contratada para alguna firma productora y Jorge se dedicará exclusivamente a dirigir la agrupación de actores".

Nada de eso tenía fundamento... Sin embargo, se daba un distanciamiento gradual que los hería, que dolía, porque su amor no estaba muerto. Las circunstancias que lo rodeaban los enfermó, comenzaba un ciclo de letargo. El "virus" lo adquirieron en el medio ambiente en que vivían, no por su carrera; a consecuencia de ella, haciéndoles perder cosas esenciales que los unía. Al menos Gloria, ya no mostraba ese sentido de sacrificio por lograr la estabilidad amorosa, parecía con su actitud, haber aprendido a quererlo como debía, sin tormenta o volcán, sin arrebato, que le costó largas horas de soledad y llanto, para al fin conseguir no amarlo tanto.

La actividad artística los mantenía prácticamente alejados. Para esas fechas ella se encontraba filmando "Rincón Brujo" en el estado de Chiapas, adonde Jorge le enviaba sus cartas:

Junio 8 de 1949

Mi vida:

No obstante que en dos telegramas tuyos me anuncias tus cartas, hasta ahora nada he recibido. Estoy preocupado, pues sin estar tú aquí y yo enfermo, me he pasado unos días horribles. Por otro lado, tanto la carta que me escribiste a Caracas, como los telegramas que he recibido están en un tono tan frío que no sé qué pensar. Ojalá y sean imaginaciones mías y me sigas queriendo como antes. Se avecinan días muy duros para mí y no quiero tener estas angustias, pues tú sabes cómo te quiero y lo que me duele cualquier frialdad de tu parte... Te adora. Jorge.

Durante el rodaje de la película y teniendo como locación la hacienda "La Providencia", propiedad del director cinematográfico Alberto Gout, tanto artistas como técnicos, al momento de llegar al término de ésta, tuvieron que someterse a una cuarentena sanitaria debido a un brote de viruela que se produjo en cierta zona del estado. Gloria no tuvo otra opción que acatar la acuartelada y Jorge aceptar con resignación estar más tiempo alejado de ella. Su malestar físico, así como la frialdad que sentía en Gloria, se manifiesta en esta carta:

Junio 12 de 1949

Viejita:

Ya me he enterado de tu problema allá y supongo lo que habrás pasado y estarás pasando en ese maldito clima. No me cansaré de reprochar la idea del marica de Gout que te ha llevado a pasar tantas penas.. Eva me llamó hoy para decirme que le habías mandado una carta pidiéndole ropa, pues vas a quedarte unos días más. Ella tiene más suerte que yo, pues para mí sólo has escrito una y ni ahora que podías habérmela mandado, lo hiciste.

Seguramente no has tenido tiempo, ni humor para hacerlo, ¿qué le vamos a hacer? Yo sí aprovecho que te lleva la ropa para enviarte estas molestas líneas que hasta hoy he tenido dentro de mí. Según Eva, el domingo me vas a hablar por teléfono a las tres de la tarde. Ahí estaré esperando ansiosamente para siquiera oír tu vocecita adorada. Cuídate mucho. Besos. Jorge.

Su frialdad era patente, Jorge intuía que algo entre ellos ya no funcionaba. Sus reproches continuos, su amargura y la impotencia que sentía por tener que cumplir sus compromisos de trabajo, que al mismo tiempo lo separaban de ella, repercutía cada vez más en su ánimo.

San Antonio Texas   22 de octubre de 1949

Prietita adorada:

Acabo de llegar a ésta y me apresuro a ponerte estas cuantas líneas para que sepas que llegué bien y que no te olvido ni un momento. Intenté llamarte primero, pero los cochinos teléfonos estaban descompuestos o interrumpidos. Dentro de un rato volveré a intentarlo, a ver si lo logro.

El viaje ha sido molesto, pues he tropezado con algunas dificultades en la aduana americana; afortunadamente se arregló todo y no pasó de ocasionarme una contrariedad más. Aquí estaré hoy y mañana, saliendo para Los Ángeles el lunes próximo. De manera que el martes por la noche te llamaré a casa a ver si tengo más suerte. Desde que salí, intenté llamarte de la estación y me encontré que por ser muy temprano, todos los lugares que tienen ahí teléfono estaban cerrados todavía. Eran las 7:48 de la mañana y el tren salía exactamente a las ocho.

Junio 3 de 1941

Mi vida:

No obstante que en dos telegramas tuyos me anuncias cartas, hasta ahora nada he recibido. Estoy muy preocupado, pues sin estar tú aquí y yo enfermo, me he pasado sin noticias días horribles. Por otra parte, tanto la carta que me escribiste a Caracas, como los telegramas que he recibido están en un tono tan frío, que no sé qué pensar. Ojalá que sólo sean imaginaciones mías y que me sigas queriendo como antes. Se avecinan días muy duros para mí y no quiero tener estas angustias, pues tú sabes cómo te quiero yo y lo que me duele cualquier frialdad de tu parte.

Ya me supongo las que habrás pasado y estarás pasando por allá en ese maldito clima! No me cansaré de reprobar la idea del maniá ese de Gout, que te ha llevado a pasar tantas penas.

Eva me llamó hoy para decirme que le habías mandado una carta pidiéndole ropa pues vas a quedarte unos días más. Ella tiene más suerte que yo, pues para mí sólo has escrito un y ... ahora que podías habérmela mandado con este señor que vino de allá, le hiciste. Seguramente no has tenido ni tiempo ni humor para hacerlo. ¡Qué le vamos a hacer! Yo sí aprovecho que se regresa con tu ropa, para enviarte estas molestias líneas, que hasta hoy he tenido adentro de mí.- Según me dice Eva, me vas a llamar por teléfono el domingo a las 3.- Allí estaré esperando ansiosamente para siquiera oír tu vocecita adorada.- Si ésta te llegara a tiempo, pide la llamada al 32-0084 que es el que tengo en mi recámara y el que mejor funciona de los dos.- Creo que yo empezaré a trabajar el jueves de la semana que entra y espero que para entonces ya estés aquí.-

Bueno negrita, cuídate mucho, que Dios N.S. te bendiga y te proteja Nuestra Señora de Guadalupe.-

Besos

Jorge

Al llegar por fin a San Luis Potosí, a la seis y media, pude lograr la comunicación a casa de Lilí, pero no había nadie, sólo las criadas y con la cocinera te dejé un recado. Pasamos por Monterrey en la madrugada y estuvimos cinco minutos nada más; y en Laredo, por lo que te digo de la aduana, se nos fue la media hora sin poder bajarnos del tren. Al llegar aquí, me encontré con que no me habían reservado las habitaciones que ordené y no había ni un solo cuarto libre en el St. Anthony, por lo cual nos vinimos al Plaza. Te llamaré mañana temprano para ver si te encuentro aún dormida. Bueno Negrita, cuídate mucho y piensa un poquito en mí. Arregla todo para que puedas venir a reunirte pronto conmigo, pues no sabes cómo te extraño. Saluda a todos con cariño y tú, recibe el gran amor y la devoción de tu Jorge.

P.D. Al final he podido hablarte viejita y ya me he quedado más tranquilo. No obstante cierta frialdad que noté en ti y que quiero atribuir a la prisa con la que hablamos, a ver si mañana ya me quieres un poquito más y así me hablarás mejor. Dios y La Virgen te guarden y te iluminen.

Adicción, dependencia, lo que fuera, Jorge siempre tuvo la necesidad imperiosa de comunicar a Gloria sus sentimientos, sus miedos o sus anhelos. Era un hombre con transparencia de niño, honesto hasta la pared de enfrente. Valiosa actitud, pero poco comprensible para la mayoría de los seres humanos que habitamos este planeta. Vivía cada minuto, cada capítulo de su vida con tanta pasión, como si en ello se le fuera la vida... Y se le estaba acabando.

El padecimiento que tenía del hígado fue a raíz de una hepatitis gravísima que sufrió cuando vivía en Nueva York, que por desgracia no se atendió como debía. Con el tiempo, esta dolencia se recrudeció sintiendo los primeros malestares en Buenos Aires, cuando presentaba con Gloria la obra "Luna de Miel para tres", donde por su gran profesionalismo, no obstante los síntomas, continuó presentándola en Uruguay por espacio de veinte días más. Gloria fue testigo de sus hemorragias y quien más insistió porque se cuidara, que dejara el trabajo y sus conflictos sindicales, pero él nunca claudicó.

Viejita linda:

No me explico porque no has recibido mi anterior, pero de todos modos, por si no te llega, en ella te decía lo mucho que te extraño y la falta que me haces. Solamente me aguanto con la esperanza de ganar unos cuantos centavos que buena falta me hacen. Nos ha ido relativamente bien, pues aunque todos los que han venido por acá, Luis Aguilar, María Antonieta Pons, han fracasado, nosotros hemos tenido mucha más suerte. Lo que realmente nos han pasado a cuchillo, son los temporales tan bárbaros que han caído por aquí. Son unos lodazales en los pueblos chicos, que no se puede ni andar. Así que ya te imaginarás la gente tratando de llegar a los teatros. Como te acabo de decir por teléfono, es posible que cancele todo lo que falta y regrese antes del día 10. Pero ya te avisaré oportunamente el día de mi salida. — Quieren que vaya a Juárez el día 15 y 16, pero no me gusta la idea pues quieren que se haga el programa en la Plaza de Toros; por lo mismo creo que no aceptaré.

Viejita te extraño bastante mal, con molestias en el estómago y arrojando sangre otra vez. No como más que cosas que no deberían hacerme daño. Alimentos sin grasa, sin mantequilla ni huevos; muchas verduras, carne asada, pollo cocido café con leche y pan negro. Sea por Dios M. S. y solamente Él sabe porqué me manda tantas calamidades.

Me da mucho gusto que la nena se sienta tan bien y que tú estés contenta. Comprendo que no te haga falta pues realmente es muy molesto tener un tipo como yo, enfermo e irascible constantemente junto.

Te suplico le digas a Paquito si puedes, que me mande un informe completo de todo. Yo voy a tratar de hablar con él por teléfono. No creo que sea cierto eso del "cuatro" o la "cama" que me preparan pero si es así, no me haría el menor efecto ya espero lo peor de todo y estoy tranquilo.-

Lo que te dije del anillo de esmeralda, no me ha dejado vivir, pues si lo perdí, es el colmo de mi mala pata. Mi única esperanza es que lo haya dejado sobre mi cómoda, pues lo puse en una bolsita de paño, de esas de los encendedores, para que no se fuera a maltratar, y creo habérmela traído, pues es el caso que no lo encuentro en ninguna parte. Ya revisé maletas, bolsas de traje, alhajeros, todo y no hay nada. Estará de buenas ¿verdad?

Bueno negrita, saludos a todos, muchos besos para la nena y todo mi cariño para ti.

Tuyo,

José

Hotel S. Anthony   (Sin fecha 1951)
San Antonio Texas.

Viejita:

No me explico por qué no has recibido mi anterior, pero de todos modos por si no llegara, en ella te decía lo mucho que te extraño y la falta que me haces. Solamente me aguanto con la esperanza de ganar unos cuantos centavos que buena falta me hacen. Nos ha ido relativamente bien, pues aunque todos los que han venido para acá: Luis Aguilar, María Antonieta Pons, han fracaso, nosotros hemos tenido mucha más suerte.

Lo que realmente nos ha pasado a cuchillo son los temporales tan bárbaros que han caído por aquí, son unos lodazales en los pueblos chicos que no se puede ni andar, así que ya te imaginarás a la gente tratando de llegar a los teatros. Como te acabo de decir por teléfono, es posible que cancele todo lo que falta y regrese antes del diez. Pero ya te avisaré oportunamente el día de mi salida. Quieren que vaya a Juárez los días quince y diez y seis, pero no me gusta la idea, pues quieren que haga el programa en la plaza de toros; por lo mismo, creo que no aceptaré.

Viejita, he estado bastante mal, con malestar en el estómago y arrojando sangre otra vez. No como más que cosas que no deberían hacerme daño: alimentos sin grasa, ni mantequilla, ni huevos; sólo como muchas verduras, carne asada, pollo, café con leche y pan negro. Sea por Dios N.S. y solamente él sabe por qué me manda tantas calamidades.

Me da mucho gusto que la nena se sienta tan bien y que tú estés contenta. Comprendo que no te hago falta, pues realmente es muy molesto que un hombre enfermo como yo e irascible, esté constantemente junto a tí.

¿Recuerdas el anillo de esmeraldas que te compré? pues no me ha dejado vivir, si lo perdí, es el colmo de mi mala pata. Mi única esperanza es que lo haya dejado sobre la cómoda, pues lo puse en una bolsita de paño, de esas de los encendedores, para que no se fuera a maltratar y creo habér-

Viejita Adorada: Aquí te mando otros
centavitos a tu nombre, y al fin de
la jira te llevaré más.

Hoy voy a tratar de
hablarte por teléfono. — Te extraño mucho.
Dime como está la nena. — Yo trabajando
como nunca. — Ando un poco mal del
estómago por tanto cambio de clima y de
alimentación. — Afortunadamente ya
pronto estaré contigo en la casa y comeré
bien sin trabajar tanto. —

Las cosas han ido estupen
damente en lo tocante al trabajo. Sólo que
ya sabes que la tercera parte de lo que
ganamos, hay que entregarlo al Gobierno.
Este trabajo es más duro que ninguno, pues
los locales no son los adecuados y tiene
uno al público montado en las orejas.

Bueno chaparrita linda,
hasta el ratito, si puedo conseguir comu
nicación desde aquí, o hasta mañana
desde Bakersfield que será donde trabaja
remos por la noche —

Dale muchos besos a mi
Gogita; saludos a tu mamá y a Lily
y todo mi amor para ti.

Te adora siempre, Jorge.

*melo traído. El caso es que no lo encuentro por ninguna
parte. Ya revisé maletas, bolsas del traje y no hay nada, estoy
de buenas, ¿verdad..? Bueno Negrita, saludos a todos,
muchos besos para mi nena y todo el cariño para ti.*

Tuyo Jorge.

Es de imaginar lo que estas cartas producían en el ánimo de Gloria, quizá una mezcla de dolor, impotencia, coraje. Por un lado, le
angustiaba la gravedad que presentaba el cantante, por otro, comprendía que poco o nada podía hacer ya para ayudarlo. En sus
manos no estaba reorganizar su vida; cuando a Jorge se le trataba de
imponer algo, era tajante, (de ahí su madera y fortaleza de líder). Ni
siquiera la presencia de su hija "Yoyita", mencionada en su carta,
que para esas fechas ya había llegado a su vida, detuvo la vertiginosa
carrera que irremediablemente estaba por llegar a la recta final.

Hotel Mapes   *10 de septiembre 1951*
Reno Nevada.

Viejita adorada:

*Inútil es decir lo que te echo de menos. ¿Cómo estás?
¿Cómo está mi nena..? Yo acá trabajando como nunca.
Ando un poco mal del estómago, pero creo que se debe al
constante cambio de clima y alimentación. Afortunadamente ya pronto estaré en la casa y comeré bien, sin trabajar tanto. Las cosas aquí han ido estupendamente bien, en lo
tocante al trabajo; sólo que ya sabes que la tercera parte de
lo que ganamos hay que entregarla al gobierno.
Este trabajo es más duro que ninguno, pues los locales no
son los adecuados y tiene uno al público montado en las
orejas. Bueno chaparrita linda, hasta el ratito, si puedo conseguir comunicación desde aquí hasta o hasta mañana des-*

de Bakersfield, que será donde trabajaremos por la noche. Dale muchos besos a mi "Goyita", saludos a tu mamá y a Lilí, y todo mi amor para ti.

Te adora siempre. Jorge.

Baltimore Hotel   *18 de septiembre 1951*
Los Ángeles, Cal.

Viejita adorada:

Solamente estas líneas para mandarte mi recuerdo, mi pensamiento y mi amor. Te mando un cheque certificado, todo lo que he podido salvar de la quema del Income-tax de esta semana, o sean 4,500.00 dólares. Cámbialos en tu cuenta del Banco Nacional, que es el correspondiente al de California.

El fin de semana te mandaré más, mucho más que esto, pues de aquí en adelante vamos a trabajar en auditorio de gran cupo. Espero poder completar, si Dios quiere y me ayuda, hasta 25,000 por lo menos. No gasto en nada que no sea comer y hotel. Me porto muy bien, te extraño, así como a mi mamacita y a mis hijitas. A mi "Goyita" dale muchos besos de su papá y para ti, mi vida, todo lo que pueda caber de amor en mi corazón.

Te adora siempre, tu Jorge.

No mentía, sus palabras brotaban del alma. Es innegable que ella fue la mujer que más amó, al menos a la única con esa intensidad. Con Gloria llevaba la mitad de su vida compartiendo, reiterándole su amor eterno. Sin embargo, muchas de estas palabras que en verdad calan hasta los huesos, caían irremediablemente, ante los ojos de la actriz, como hojas secas de un árbol que en ella ya no era capaz de nutrir su follaje.

Sucede con algunos hombres (posición feminista, desde luego) que con el arma de su voz, llevan a su mujer al mismo cielo, al viaje interminable, al infinito, para depositarla suavemente en inmaculado lugar: su corazón. Alimentándola de sueños y promesas, logrando mantenerla por un tiempo en un estado ensoñador, sublime. Hasta que ella advierte que su cuerpo, su vida, va tomando la figura de un objeto decorativo, precioso, eso sí. Un objeto que su dueño cree poder dejar olvidado y que al volver lo encontrará intacto, sin pensar que durante su ausencia podría romperse, empolvarse o simplemente alguien pasar y moverlo de lugar.

Gloria no se empolvó por tener un trabajo que la mantenía activa, productiva y ocupada. No se rompió por ser una mujer de gran fortaleza y demasiado voluntariosa. Como mujer necesitaba la pasión y la entrega de un hombre que le hiciera sentir su protección en momentos difíciles; Jorge se la brindaba a través de sus cartas. Un papel, al fin inerte, que no podía rodearla con su calor. Todo esto ya empezaba a representar un peligro y sucedió... alguien pasó y la movió de lugar.

Dicen que filmando la película "Hay un niño en su futuro", Gloria y Abel Salazar se involucraron sentimentalmente, al grado de provocar la ruptura total y de forma por demás dramática de la pareja. Nadie entendía el por qué de esa elección, parecía mentira que la sedujera un hombre que ni física, ni artísticamente le llegaba a los talones a Negrete. La crítica agria y mordaz no se hizo esperar, y contra ellos comenzó la embestida:

"La Prensa" (27 de febrero de 1952)
Por: Dolas.

" 'Hay un niño en su futuro' es una película que no debió filmarse nunca. Excepto el trabajo de Gloria Marín, no hay nada en ella que se salve. Hasta resulta una lástima ver los progresos de la simpática actriz empleados en tan mediocre empresa.

"El argumento, si es que eso se puede llamar así, lo escribieron los señores Galiana y Varela. No sólo es ilógico, sino insulso, cosa que aún es más deplorable: 'Una señora temporalmente chiflada, que se cura repentinamente, gracias a su próxima maternidad'. Si eso fuera posible, veríamos a los psiquiatras tomando lecciones de los ginecólogos.

"Abel Salazar acompaña con mucho menos éxito a Gloria, aunque reconocemos que está menos exagerado que en otras ocasiones. Pedro Vargas no se concreta a cantar, hasta actúa, eso sí, con mucho menos arte que el que despliega en su verdadera especialidad. Galiana argumentista, le hace de afeminado, y Jorge Negrete, quien sólo se apareció para dar una ayudadita, cantando dos canciones. Esperón le ha puesto un fondo musical igualmente gris. Si existe crisis en nuestra producción, resulta inadmisible que se gaste el dinero en fabricar churros como éste".

Indiscutiblemente, la actriz no sólo dio un mal paso en su trayectoria artística; como mujer, su elección fue equivocada. Esto lo confirmaría tiempo después, cuando tras años de matrimonio con Salazar, al separarse, contundentemente aseguró: "De él no me quedó nada. Absolutamente nada que valga la pena mencionar".

Pero mucho antes de que esto ocurriera, los rumores de su idilio ocupaban las notas de los periódicos, que no dejaban de extrañarse de esa repentina relación. "Últimas Noticias" señalaba: "Ni hablar, la actriz tiene los suficientes encantos para 'volar' a cualquiera... Aunque se trate del abusadillo Abel Salazar. O a lo mejor resulta que todo es afán publicitario".

Romance Publicitario...
Por: Spetien.

"Los artistas que de alguna manera han conseguido despertar la admiración, deberán guardar celosamente, como una de sus más grandes riquezas, ese sentimiento popular que hizo su nombre preciado. En el caso que nos ocupa —Gloria y Abel— vemos un peligro de declinación artística en el que se nota un cansancio o recelo a un futuro inseguro. Es entonces cuando se hace necesaria la propaganda, no importando que los medios para lograrla sean poco correctos.

"Surge así, el divorcio de Gloria Marín, después de un matrimonio que tenía todas las apariencias de una duración perenne. Siendo pre-

Jorge y Gloria en Acapulco, después de un día de pesca, posan junto a su presa... Nunca quedó en claro cual de los dos pescó a semejante animalón.

cisamente ella, quien causó la principalísima separación marital. Fue la casualidad, aparentemente buscada con urgencia, quien la llevó a encontrar en Abel el calmante momentáneo a sus destrozados nervios, causa de un error cuya trascendencia pública hace imposible reparación. Jorge es y ha sido siempre hombre de una sola pieza, rotundo en sus decisiones, no admite medios términos.

"En tales circunstancias, surgen los hechos 'sensacionales' derivados de las acciones de Gloria y Abel, registradas por la prensa nacional con su debido carácter de noticia pública, pero cuyos protagonistas quieren aparentar íntima.

"Ha quedado revelado en parte, lo que le puede suceder a una persona ya no muy joven, pero aún hermosa, y a Jorge, apartado y caviloso filósofo, cuando ejerce sobre ellos simultánea presión el medio en el que actúan. Pero ¿cuántos protegidos de la fama conocen la compensación de ese renunciamiento, y aun conociéndolo, tienen el coraje de afrontarlo?

"El futuro de Gloria y Abel los presenta en amorosa conjugación espiritual; pero es necesario insistir en que ese hecho es un medio estupendo para una efectiva propaganda —para ellos y para una película de marras—, ya que es notorio que ni uno ni otro están identificados en el renglón de los buenos filmes o las escenas relevantes. Esta conclusión es lógica, si tomamos en cuenta que tanto en ella como en él, no es factible un repentino sentimiento amoroso, después de años de mutuo conocimiento a través de una amistad impuesta por el mismo ambiente.

La pregunta que un servidor hizo a estos artistas en lo que a su 'Romance' se refiere, no tuvo una respuesta clara. Mostrándose reticentes en lo que ellos consideran vida privada, pero que deja traslucir que hay 'algo' con posible culminación Talámica.

"A lo que todo esto conduce, es a concluir que ellos lograrán sus propósitos nupciales-publicitarios. Su técnica de oportunos silencios exige que la prensa les haga publicidad, por un mínimo esfuerzo por parte de sus beneficiados. Gloria y Abel, con la boca cerrada, logran mejores menciones que George Bernard Shaw, cuando hablaba continuamente".

No cabe duda, Spetien fue muy certero en sus apreciaciones; pero falló en una: el romance no se dio con fines publicitarios, no por parte de Gloria, quien ya tenía una posición envidiable dentro del medio y no necesitaba ser relacionada con alguien que era su inferior en ese aspecto. Menos buscaba rivalizarlo con Negrete, dueño de gran porte, inteligencia y un atractivo físico que hacía palidecer a su enemigo... a Salazar, el cual quiso demostrarle que aun en desventaja, podía ganarle la batalla en el campo del amor.

Otra de las situaciones que señala Spetien en su reportaje; en la que también le da al clavo, es donde al pie de foto de la actriz, vierte este comentario: "Gloria Marín fue por mucho tiempo la Dulcinea de 'Pum Pum' Negrete. Pero se separó del terrible charro porque ya no soportaba sus 'olvidos' "; recorte que conservó Gloria, al cual le daba crédito: lo subrayó y encerró en un círculo en forma de corazón.

El rompimiento amoroso de esta pareja, la que por tantos años fue considerada una de las más estables; comenzó a ser imitado por otras. Divorciarse y volverse a casar, no sólo era una costumbre en boga de los artistas de Hollywood, se puso de moda en el gremio artístico mexicano que no quiso quedarse atrás en eso del escándalo conyugal. Ese año de 1952, el divorcio se convirtió en el deporte favorito, donde las parejas jugaban su torneo de "Mini Olimpiadas", no con el interés de ganar, simplemente de competir.

Los más conocidos y provocadores de una gran conmoción al suscitarse el rompimiento de su matrimonio fueron Esther Fernández y el momificado Antonio Badú. Su ejemplar relación los llevaba a mostrarse en eterna luna de miel. Luego algo enfrió su amor, por lo que llegaron al divorcio.

Pedro Infante mandó a volar (cual lanza) a su primera mujer, la que en sus épocas de hambre lo protegió, convirtiéndose prácticamente en su guía espiritual, su confort... Pero él era tan carismático, tan canijo, tan coscolino que no había mujer que se le resistiera. Lo mismo andaba con "Juana" que con "Chana", nunca tan selectivo como Jorge. Y es que al igual que él, las mujeres lo buscaban; quizá un tiempo prometía ser fiel, empero a la vuelta de la esquina se encontraba con "Doña Tentación" y volvía a las andadas. María Luisa siempre le perdonó ese temperamento "cachondo", incluso, se hacía ojo de hormiga ante sus flirteos; sin embargo, se negó a darle el divorcio. Pedro acató, mas esto no impidió que deslizara su cuerpo en otras camas y otras pieles más frescas que las de su honorable dama. Dado lo pollitas que se las agarraba, no dudo que hoy día exista alguna "chorreada" convertida en abuelita recordándose con él en esas lides. El "Torito" las enamoraba a toda máquina.

Otros eran todavía más escandalosos, llegaban a ocupar la primera plana debido al carácter agresivo del galán Emilio Indio Fernández que gustaba de sangolotear a su amada Columba Domínguez. Su desunión ya era patente en esta fecha. Muy al contrario de Rafael Baledón y Lilia Michel, que no sólo en esta época demostraban ser una pareja estable, un matrimonio ejemplar. A la fecha se les considera eternos enamorados.

Puede decirse que en el caso de Gloria y Jorge, los dos eran muy afectos a defender su privacidad. No les interesaba discutir con nadie sobre su divorcio, mucho menos adelantar alguna noticia al respecto. Les molestaba ser el blanco perfecto de algunos periodistas que sacaban versiones totalmente opuestas sobre el progreso de la relación entre Gloria y Salazar. Barrios Gómez en su columna: "Ensalada Popoff" del diario "Novedades" comentaba: "Cero y van cuatro, las veces que se les ha visto juntos a Gloria Marín y Abel Salazar esquiando en Tequesquitengo". Mientras que otra nota aseguraba: "Gloria viajará sola a España para olvidar a Negrete".

Las más mordaces eran dedicadas a Jorge: "Aunque usted no lo crea, Jorge Negrete ha rebajado quince kilos de barriga. No, no queremos suponer que por el gusto de trabajar al lado de Pedro Infante. Más bien queremos suponer que es la pena ocasionada por su divorcio de Gloria". El periodista se refería a la película que Negrete e Infante realizaban juntos: "Dos tipos de cuidado". Pero ¿en verdad Jorge sufría por alternar con Pedro? Muchos aún se cuestionan sobre esa rivalidad. Quien mejor que Manuel Esperón, gran músico, compositor de la mayoría de las canciones que ellos interpretaban en sus películas: "Ay Jalisco no te Rajes", "Cocula" "Amorcito Corazón", entre otras, para hablar sobre este asunto:

"Creo que los dos tenían lo suyo. Eran artistas y por lo mismo sí había competencia. A mí me tocó presenciar cuando los dos se presentaron en el teatro 'Lírico', y la verdad, eran unos agarrones tremendos. Se creó tal tensión, que sólo aguantaron trabajar juntos tres semanas.

"Indiscutiblemente Pedro era más popular, más aceptado por la gente del pueblo. Sin embargo, Infante sentía respeto y admiración por Jorge. Incluso le decía padrino. Personalmente no tenían conflictos, todo se quedaba en una rivalidad profesional".

Tanto Negrete como Infante fueron y siguen siendo los dos gran-

Gloria no sabía estarse quieta. Sus manos no podían estar ociosas.

des artistas de esa época. Pedro tenía el carisma, la humildad y la ternura que provocaban se sintieran hacia él una empatía inmediata; envidiaba de alguna forma la potente y bien timbrada voz, la imponente personalidad de Negrete, quien en ese entonces representaba la imagen de un artista elitista. A nivel popular, Infante arrastraba a las masas, pero de ninguna manera era el sueño dorado de las niñas bien, ahí Jorge Negrete se lo acababa. Con el tiempo, los dos han quedado como máximos representantes de esa etapa.

Retomando la nota que señalaba el estado anímico de Jorge, el periodista debió suponer que su actitud correspondía a la pena que le ocasionó separarse de Gloria, y más que nada, al malestar que le producía encontrarse invariablemente con comentarios tan hirientes en los periódicos; por lo que cansado de tanta farsa, decidió, declarar de una vez y para siempre a "Últimas Noticias": "Ahora, en plan de amigo sincero, deseo que Gloria encuentre la felicidad a la que tiene derecho. No quiero hablar más del asunto porque algunas personas han puesto en mi boca cosas que yo nunca he pronunciado.

"Algunos enemigos, faltos de valor personal, se han dedicado a tratar de complicarme la existencia haciéndome pasar como un falso enamorado. Alguien tomó mi nombre para hacerle llegar unas flores a cierta estrella de cine, y luego ésta me llamó para agradecerme el regalo.

"El astro cantante —continúa la nota—, quien es uno de los pilares del cine nacional, nos pidió aclarar también que se encuentra dedicado a su trabajo, a su madre y a sus pequeñas hijitas. Puedes advertir, Lumiére, —finalizó Jorge— que todas las sucesivas declaraciones que se me atribuyan serán falsas. No pienso volver a hablar del asunto. Lo de Gloria y mío se acabó y nada más".

No se puede asegurar con exactitud que "la actriz de las flores", de quien hace mención Jorge, haya sido María Félix. Ella nunca agradeció nada, pues al parecer todo se lo merecía. Sin embargo, haciendo cálculos con la fecha de la nota periodística: 18 de septiembre de 1952 y la boda de ellos que se realizó el 18 de octubre del mismo año, hay un mes de diferencia. Su proximidad deja mucho que pensar. Además, en otra nota de la misma fecha, a pie de foto de la pareja, aún se comentaba sobre su rompimiento:

"Son ellos, el galán y cantante Jorge Negrete y la hermosa Gloria Marín. Muchos años viviendo un romance y últimamente compartiendo la alegría de una hija. Con todo, llegó el momento más trágico de sus vidas fuera de la farsa cinematográfica. Gloria sostuvo durante muchos años un hogar donde reinaba la felicidad; la que aumentó cuando de su matrimonio con Negrete nació una niña, quien no fue obstáculo para que llegara el fatal día en el que tendría que llegar al divorcio".

El éxito alcanzado por Gloria Marín en Estados Unidos fue definitivo.

Gloria Marín y Abel Salazar un día cualquiera, haciendo "talacha" en su hogar... La pose fue artificialmente calculada para molestar a Jorge.

En la vida de Gloria y Abel no sólo hubo gritos y sombrerazos... a veces fingían divertirse como chiquillos sobre todo cuando estaban frente a un fotógrafo de prensa.

11
Gloria y Abel... Una quimera

A veces la seducción de otra piel es pasajera, no deja huella porque fue quimera... sin embargo, para Gloria en esos momentos su única verdad era emprender una nueva vida al lado de Salazar, aun sabiendo que con su atrevimiento ganaba o perdía. De cualquier forma, dio el primer paso y no podía dar marcha atrás. No se engañaba, sabía que dejó ir al hombre de su vida, pero también comprendía que aquellas escenas intensamente vividas con él, tenía que dejarlas en el espacio de sus recuerdos. Esos que ya no motivaban sus sentidos, ni sus ganas de seguir con él.

Fue así, como el torbellino de su vida se encausó hacia otros vientos, los que producían su amor por Abel. Nuevamente se ilusionó y hasta se le veía feliz; al menos con una actitud diferente que se manifestaba desde su apariencia: lucía cabellera negra, esbelta figura y se mostraba de lo más accesible ante el interrogatorio de los curiosos sobre su matrimonio. Confesó incluso, que estaba en tratos para alquilar su casa de Las Lomas (donde había vivido con Jorge), para comenzar en otro lugar y sin "fantasmas" su nuevo romance.

Por su parte, Negrete se consoló muy pronto con otra mujer, demostrando que un amor hecho pedazos aún podía impregnarse en otra piel, otra mirada y otros brazos... los de María, la que poco disfrutaría de ese amor; la crítica salud de su marido iba avanzando y era mortal.

Convaleciente de una cirrosis hepática, Jorge viajó a California a cumplir con su contrato teatral donde sufrió una grave recaída, la que a pesar de haber sido atendida con todos los recursos médicos posibles en el Cedars Hospital Lebanon de Los Ángeles, lo llevó a la muerte el 5 de diciembre de 1953.

Irónica verdad: la canción que tantas veces entonó con gallardía, en esa ocasión se convirtió en triste realidad como final de su vida: "México lindo y querido, si muero lejos de ti, que digan que estoy dormido y que me traigan aquí. México lindo y querido si muero lejos de ti".

Nadie daba crédito de su muerte. La noticia sacudió a México, así como a otros países de habla hispana donde surgieron escenas dramáticas que acabaron con el suicidio de mujeres y jovencitas que adoraban a su ídolo. Otros, se consolaban esperando pacientes en el aeropuerto de Balbuena la llegada de los restos del artista; que sería trasladado de inmediato al teatro que más tarde llevaría su nombre. Todo ahí eran lamentos y rostros desencajados. Lloraba la gente sencilla del pueblo que veneraba al que fuera su máximo representante de la música ranchera, así como sus compañeros de profesión que también rendían tributo a su líder; en la entrada del lugar se citaba esta frase: "Jorge Negrete no ha muerto. Desapareció físicamente, pero su fuerza, espíritu y doctrina siempre vivirá en los actores".

Lo que puede provocar un ídolo... Apenas llegó a México la noticia de su muerte, un sensible compositor ya tenía escrita sentida letra y bella melodía de la canción que sería más adelante el himno a Jorge Negrete. Federico Curiel, director de cine y compositor, mejor conocido en el medio como "Pichirilo", logró plasmar con gran exactitud lo que significaba para nosotros los mexicanos la pérdida del artista, . tema que además de escucharse año con año en el Panteón Jardín con motivo de su aniversario de muerte, también fue utilizado como elemento principal de la película que habla de su vida. Las voces más reconocidas de esa época intervinieron en la grabación: La Tariacuri, Luis Aguilar, Los Calavera, Las Tres Conchitas y Ramón Armengod, dirigidos magistralmente por Don Manuel Esperón, quien con su conducción emocionó hasta las lágrimas en el momento que los compañeros entonaron la canción:

"Amigos guarden silencio, que hoy traigo enfermo el corazón. Se ha ido Jorge Negrete, su más ferviente Charro Cantor. Las notas visten de luto y el alma entera quiere llorar. Violines y guitarrones ya no hay canciones que acompañar..."

Efectivamente, los amigos de Jorge guardaron silencio cuando cargaron su ataúd para depositarlo en su última morada; siendo algunos de ellos: David Silva, Arturo de Córdoba, René Cardona y unos de sus mejores amigos, Ramón Armengod, con el que en un tiempo formó dueto y pensaba hacerla en grande en Estados Unidos, lejos de su país, en busca de nuevos horizontes; sin imaginar que más tarde volvería para convertirse en gran artista, en el hombre que encontraría aquí a sus tres grandes pasiones: su tierra, Gloria y su posición como líder.

Su tierra lo volvería a abrazar; sus compañeros artistas de algún modo le correspondieron por todo lo que él les entregó como dirigente de su gremio... Sólo faltaba Gloria, pero ya no le correspondía caminar a su lado, otra mujer ocupaba su lugar; la que a pesar de ser tachada como mujer fría, calculadora e imperturbable se derrumbó en esos momentos. Al fin de carne y hueso fue capaz de llorar por un amor que no empezaba a disfrutar, cuando lo perdió... Luego la acusarían de ladina por no devolver el collar de rubies y esmeraldas que Jorge le regaló y que no alcanzó a pagar en su totalidad: "Lo caído caído", se defendió con toda la garra; y obvio, nadie pudo arrancárselo.

Para María Félix, Jorge Negrete representó un nombre más en su "Galería". Poco fue lo que vivió con él y es lógico que se haya resignado pronto. Muy diferente fue el sentimiento de Gloria con respecto a su muerte. No podía creer que el hombre que tanto significó en su vida hubiera fallecido tan repentinamente. No lo olvidó, pero debido a sus circunstancias colocó su recuerdo en un hueco profundo de su pensamiento y su corazón. Continuó su vida con Abel Salazar.

Vivieron en unión libre por unos años, hasta que decidieron casarse el 31 de mayo de 1958. Su acta matrimonial señala que el actor contaba con 41 años y Gloria con 38, siendo testigos del enlace: Gregorio Walerstein y el compositor Agustín Lara; quien aceptaba tener 51 años. Otros de los testigos que aparecen en el acta fueron: Rafael Baledón Cárdenas y Fernando Galeana. Así quedaron unidos bajo el régimen de separación de bienes, ante el juez Quintel Martínez: Abel Salazar y Gloria Méndez Luna.

Con el tiempo no sólo unirían sus vidas, sus afectos y sus defectos. Los dos fueron asociados artísticamente trabajando en innumerables películas, llegaron incluso a filmar en España: "El coyote" y "La vuelta del coyote". Según Gloria, las experiencias más amargas

Gloria Marín, Laura Marín, Jorge Negrete, Jesus Montalbán y "Susy" la perrita, en el Aeropuerto Laguardia de Nueva York. Eran los tiempos felices.

dentro de su trayectoria artística: "Las dos películas fueron pavorosas, horrendas. Son mis dos vergüenzas cinematográficas —aceptaba con gran franqueza—. Las tenía firmadas con anticipación y llegó el momento en que tuve que cumplir, aceptando un argumento que de entrada no me gustó. Recuerdo que el director fue Joaquín Romero Marchand; un muchacho encantador, muy lindo, muy capacitado, quien la verdad 'agarró el toro por los cuernos'...Es que la cinta era malísima. No olvido todavía aquella conversación telefónica que él me hiciera al hotel en Madrid: 'Gloria, vamos a hacerla, vamos a divertirnos. Esto ni es 'El Coyote' ni nada que se le parezca, pero en fin, vamos a rodarla:

"Acepté, pero sufrí como enajenada, más cuando leí los diálogos; Dios —gritaba yo—, es que esto no es posible. Esto no se puede decir en cine. Entonces él, con toda la paciencia del mundo, se iba al restaurante de los estudios y corregía los diálogos. Para colmo, aunque los diálogos se volvían a grabar, mientras uno se encontraba actuando se oían los gritos por allá: oye tú, pásame la no sé qué... Y uno aquí en gran escena romántica".

Ésta fue una de tantas intervenciones de Gloria y Abel en la pantalla grande... Honestamente muy poco exitosa comparada con la pareja cinematográfica que en años anteriores formaron Marín-Negrete.

Durante los primeros años de relación, Gloria tuvo una actitud artística constante. Viajó con Abel a España y se presentó en Centro y Sudamérica (como en años anteriores). Luego, él comenzó a celarla y ella decidió el retiro. Deseaba conservar su matrimonio a toda costa y dedicarse a la hija que había tenido con Jorge. La pequeña era su adoración y como madre orgullosa, no perdía oportunidad de presumirla (jamás olvidó cargar con su fotografía), siempre comentaba con visible ternura: "Es uno de mis tormentos— y luego con cierta ironía terminaba el comentario—; el otro, es Abel Salazar". Muchos conocían su sentido del humor; sin embargo, nadie percibía lo que significaba a profundidad la palabra tormento. Ésta encerraba ciertos acontecimientos que no daba a conocer y que guardó en secreto mucho tiempo.

Por principio, estaba esa chiquilla que para algunos su existencia era un misterio. De pronto apareció en la vida conyugal de Gloria y Jorge, provocando que las versiones de su origen fueran tan diversas, que ni las amistades más cercanas sabían con exactitud su procedencia.

Gloria y Abel Salazar cuando su relación aparentemente se mantenía estable.

Unos, aseguraban que la pareja la adoptó en uno de sus viajes a España. Otros, se inclinaban a pensar que se trataba de la hija de una muchacha que se encontraba al cuidado de la actriz (¿sería Consuelo?). Aunque también corría el rumor de que Gloria, al verse imposibilitada para la maternidad, había recibido en su casa a una niña que le llevara el Padre Domingo.

Debo aclarar que todo esto lo discutimos, lo desmenuzamos paso a paso su hija Gloria y yo. No tratamos de imponer nada, ni siquiera otra versión... Llegamos a la conclusión que de su vida se ha dicho todo y a la vez nada. Por desgracia, los protagonistas de esta historia ya no pueden dar su propia versión, la auténtica, la indiscutible. Quedan tan sólo los recuerdos, los recortes periodísticos. Más que nada las cartas y fotografías que significan para la hija de ambos, su única y absoluta identidad como ser humano.

Abel Salazar, Sara García, Gloria Marín, en una boda.

Gloria, Jorge y su hijita Yoya...Esta foto se tomó en septiembre de 1951.

12
Pero ¿Quién es Gloria..?
¿De quién es hija..? ¿Es una Negrete?

Remontarme a la época en que la conocí, es revivir la etapa feliz de mi adolescencia. Las dos tendríamos entre quince y diez y seis años, cuando coincidimos en un internado en Puebla. Para mayores señas, en la casa que anteriormente fuera la de Maximino Ávila Camacho; un señor, nos dijeron, que fue gobernador de ese Estado, famoso como cacique, matón, y para colmo —se rumoreaba entre el alumnado—, envenenado en una de las habitaciones que más tarde se convirtió en "acogedora" recámara de nuestro querido "Instituto Social Femenino".

A ese lugar de "niñas bien"... Llegaban niñas no tan bien. La mayoría eran enviadas por sus padres por parecerles un estorbo en su vida social. Al principio se mostraban frustradas y resentidas por el encierro. Sin embargo, las monjas eran tan buenas, modernas y consecuentes que acababan por hacerse adorar; reconozco que convirtieron ese internado en un verdadero hogar para sus hijas adoptivas.

La comida era excelente, todavía recuerdo los sabrosos guisos de la Madre Carmela y me entra una nostalgia estomacal que ¡para qué les cuento! Sus viandas eran la recompensa más grande que podían tener las gorditas que comían compulsivamente por tapar su "tristeza", hecho que para mí, flaca flaca se convertían en mi tormento.

Gloria llevaba recluída un año en esa escuela, cuando mi hermana Gabriela y yo hicimos acto de presencia, donde "nuncamente" ingresamos por los motivos antes expuestos ¡qué va, nos inscribimos por puro capricho!: recién habíamos visto "Las diablillas del convento" (con Hayley Mills) y la dichosa película despertó en nosotras grandes fantasías. Deseábamos saber cuántas travesuras más, aparte de las vistas en la pantalla, podíamos realizar en un internado dirigido por "monjitas". "¡Total —advertimos a nuestros consternados padres—, si no nos gusta, nos regresamos!"

De esta manera fue que Gloria y yo nos conocimos, logrando desde el principio plena identificación por ser demasiado extrovertidas y rebeldes. Odiábamos acudir a la capilla cuando la madre "Cielito" sonaba su campanita con singular alegría, anunciando el rosario de las seis; hora exacta para la huida. Y es que, en honor a la verdad, no fuimos muy devotas, disciplinadas tampoco; así que a la tercer llamada corríamos rumbo al clóset del estudio y subíamos como estampida por unas cortas escaleras que conducían a la azotea.

¡Qué lugar..! Era nuestro refugio, sala de juntas para planear las andanzas y el mejor rincón (bajo el tinaco) para fumar y platicar a nuestro antojo. Ahí nadie nos interrumpía y para colmo de la alegría, contábamos con una vista panorámica que circundaba toda la ciudad de Puebla. En ese lugar se iniciaron nuestras confidencias y brotaron entre risas y lágrimas, temas que sin imaginarlo, ocuparían algunas páginas de este libro.

Por todas era conocida como la hija de dos grandes figuras: Gloria Marín y Jorge Negrete. Recuerdo que ella era la encargada de amenizar las reuniones donde tocaba la guitarra y cantaba todo tipo de canciones. En su boleta de calificaciones aparecía el Ramos Luna, no llevaba el Negrete. Cuestión que no nos asombraba, nos bastaba saber que su voz era muy parecida a la del cantante y que esos ojos negros como almendras grandes, no podían ser otra herencia que la de su padre: el charro cantor.

Precisamente en esas charlas, entre aire puro y tabaco, supe por Gloria que su mamá había estado casada con Abel Salazar, que desde pequeña la hicieron creer que él era su padre, pero que algo malo intuía, debido al trato frío, distante y poco comprometido que él tenía para con ella, que de esta manera vivió hasta llegar a la edad de seis años, fecha en que por accidente encontró algo que la enfrentó irremediablemente con su pasado.

Una tarde lluviosa buscaba con qué entretenerse, cuando al abrir

Gloria y Jorge con Yoyis.

Jorge muestra orgulloso su hija Yoyis a Jorge Mistral y Fernando Cortés.

Jorge adoraba a la Yoyis. Todo mundo decía que era hija suya y que Gloria había aceptado reconocerla. El parecido de la niña con el actor es innegable.

Jorge y la Yoyis, en una foto
de estudio.

Jorge y su hija Diana.

PARROQUIA DE SANTA TERESITA DEL NIÑO JESUS

Lomas de Chapultepec, México, D. F.

A los 6 días del mes de Septiembre del año de 19 51 recibió en esta Parroquia las Aguas Lustrales del Bautismo, en ... ... a quien se puso por nombre Ma. Gpe. Gloria Virginia del Carmen y que nació en México, D.F. a los 24 días del mes de Enero de 19 51

Sr. Jorge Negrete

Sra. Gloria Ramos Luna de Negrete

Sr. Fernando Cortés

Sra. María Ramos Luna.

EL BAUTIZANTE

EL PARROCO

Gloria Marín y la Yoyis. Siempre se comportó como una verdadera madre. En el ángulo inferior izquierdo: Fe de Bautismo de la niña.

el cajón de un librero (propiedad de su madre) cayó a sus pies una fotografía donde aparecía la imagen de Jorge Negrete, misma que le causó gran impacto. Ese detalle no hubiera trascendido, si al mostrársela a doña Laura ésta no reaccionara de forma tan extraña: se la arrancó de las manos, corrió nerviosa por toda la estancia para luego advertirle tajante: "Las niñas no toman las cosas de los mayores sin su permiso —luego suavizaría la voz—. Me duele regañarte, pero no vuelvas a repetirlo".

Gloria se caracterizaba por ser una niña inquieta, pero muy observadora. Esa actitud le pareció arbitraria, excesiva, por lo que decidió (como buena acuariana) hacerse justicia. "Después de todo —reflexionaba— nada de malo había en preguntar por el señor de la fotografía". Encontrarla se convertiría entonces en su obsesión. Abría cajones, revolvía libreros, sin imaginar que ésta se hallaba metida dentro de una cómoda en un sobre amarillo, entre las páginas de un libro.

Después de un tiempo dio con ella. Por fin podía observarla a su antojo y descubrir lo censurable, lo prohibido, lo vetado para una niña de su edad. Efectivamente, algo había por esconder y lo tenía ante sus ojos, una dedicatoria cariñosa dirigida a ella: "Para mi adorada hijita Gloria. Con mis bendiciones. Jorge".

¿Jorge..?, ¿hija..?, ¿yo?, ¿qué es esto?, y corrió directo con su madre para que le explicara. Ya nada podía detenerla, su empeño e insistencia provocaron tal inquietud en la actriz, que acabó por confesarle que efectivamente ella había estado casada con el señor de la fotografía, que se llamaba Jorge Negrete; el que en efecto era su padre, que había muerto, por lo que no venía al caso hablar de él. No fue muy explícita consideraba que su hija era aún chiquilla para entender. Sin embargo, esa confesión le dejó a mi amiga una sensación de abandono inexplicable. Luego, (lo que es la inocencia y candidez), se consoló al saber que el señor "gruñón" con quien vivía, ni siquiera era su pariente.

Los recuerdos más amargos de su infancia, brotan exactamente del matrimonio de su mamá con Abel: "A pesar de que este señor no tuvo ni tendrá las cualidades de mi papá, lo cierto es que si tuvo más carácter y seguridad para mantener una relación con mi madre.

"Ella creía que en esta nueva vida sería feliz o al menos viviría más tranquila. El caso es que a pesar de que se dedicó prácticamente a leerle el pensamiento, se desvivía por darle gusto, él se comportaba como una persona violenta y paranoica, perdía el control hasta porque el café estaba frío... ¿puedes creerlo?". Recuerdo que me comentaba mientras yo la escuchaba impactada. No obstante, la animaba a que prosiguiera con su relato. De alguna manera le costaba trabajo contener la ira que este recuerdo le producía, las lágrimas amenazaban con brotarle:

"Era tan quisquilloso que si tenía el salero a cinco centímetros de distancia, era incapaz de tomarlo, lo exigía. Mi madre sufrió mucho, pues el señor era un coscolino. A pesar de estar casado con mi madre, andaba con Ariadna Walter y Begoña Palacios. Esto me lo confesó ella, cuando de alguna manera sintió que esas heridas habían cicatrizado. Mira Claudia —señalaba—, no puedo juzgarla, por supuesto, pero creo que interiormente lo soportaba porque se sentía culpable de haber dejado a un señor como Negrete por Abel Salazar ¿sabes..? Siento que fue como un autocastigo, aunque debo reconocer que sí estuvo enamorada de él.

"El recuerdo que tengo de Abel como 'papá' es de total agresividad y rechazo absoluto. No olvido una ocasión en que estando los tres en Acapulco, empezaron a discutir, no recuerdo qué se decían, pero acabó por golpearla muy fuerte. Me asusté, pero más grande fue mi enojo cuando vi que mi madre no se defendía. Yo estaba muy pequeña, pero aún guardo esos dolorosos recuerdos. El peor de todos, fue cuando en otro de sus pleitos se puso frenético y le gritó mientras abría la puerta de la casa: 'Lárgate de aquí con tu pinche niñita. A mí no me vas a matar como al otro', refiriéndose a mi papá, que en ese entonces no sabía que lo era.

"Así que mi madre me cargaba y salíamos huyendo, para volver después de unos días, cuando el señor le pedía perdón. ¿A ti te cela tu novio? —preguntaba al tiempo que abría como platos los ojos y tajante apuntaba— Son odiosos. Mi madre tuvo que retirarse del ambiente artístico precisamente por eso, era otro de los defectos del señor. Finalmente ella puso todo de su parte para salvar su matrimonio, y si algo tenía que sacrificar, lo hacía. Por fortuna acabaron divorciándose cuando mi madre se enteró que él sostenía relaciones con Rosita Arenas.

"No me hagas mucho caso —decía—, pero creo que hasta mi mamá estuvo a punto de salir tras él con una pistola. Parece que Chano

Urueta, un productor muy amigo de ella, fue quien la calmó diciendo: 'No vayas a desgraciar tu vida y la de tu hija por dos personas de esa calaña; déjalos, haz tu vida'.

"De las imágenes más tristes que tengo de ella, fue cuando el señor le mandó el acta de divorcio para que la firmara. Se encontraba acompañada por su hermana a la que le dijo: 'Mira, Abel firmó hasta abajo para hacer parecer que yo pedí el divorcio. ¿Será que lo hace como signo de caballerosidad?' "

Qué lejos estaban de pensar las monjas y nuestras propias compañeras, que mientras ellas rezaban devotamente el rosario, Gloria y yo sosteníamos profundas pláticas de lo que había sido su niñez y adolescencia. Para ella, estos encuentros significaban la necesidad imperiosa de compartir con alguien sus dolores y tristezas. Para mí era como descubrir de tajo que los cuentos de príncipes y princesas no siempre acababan con el clásico *Happy End* y que los herederos de la "corona" a veces son olvidados de sus tres madrinas para cumplirles todos sus deseos.

Luego de finalizar el curso escolar y después de la despedida, nos alejamos de aquel lugar que sin duda se quedó impregnado de nuestras risas y lágrimas, de nuestras correrías. De los días felices y otros tantos grises, que vivimos estrechamente todas las alumnas. Cada una emprenderíamos una nueva vida con diferentes propuestas y alternativas... ¡Ah, pero eso sí!, con la firme promesa de volver a reunirnos, por lo pronto con Gloria, quien compartía con nosotras el lugar de origen: Nuestro contaminado y problemático D.F.

No obstante radicar en la misma ciudad, en realidad nos vimos pocas veces. Así pasaron los años, hasta que yo inicié mi carrera de periodismo y ella comenzaría con la inquietud de tomar clases de canto. Se dirigió entonces, a la casa de una maestra que impartía la materia por la colonia Narvarte, donde por cosas del destino, Gloria acudió presentándose, obviamente, como hija del tan querido cantante... Finalmente esa era su historia.

Su problema empezó cuando la maestra reaccionó con extrañeza. Algo intentaba decirle, no se atrevió e inició las pruebas de vocalización. Luego de escucharla ya no se aguantó más y le comentó sorprendida: "Es increíble que tengas la misma tesitura de voz que Jorge Negrete, siendo su hija adoptiva".

Más tarde me confesaría: "Ese comentario fue como el inicio de

Doña Laura, madre de Gloria, con la Yoyis en brazos, el día en que bautiza-
ron a esta última.

Foto que Jorge dedicó a su hija
Gloria (Yoyis) con su bendición.

Yoyis ataviada de española para una fiesta infantil.

una pesadilla. ¿Te acuerdas..? Yo me había quedado conforme con la versión que me diera mi madre cuando estaba chica, y ahora esto. Me sentí como una hoja al viento. No sé cuánto tiempo estuvimos en silencio, tampoco sé cómo pude quedarme ahí... Bueno, es que estaba paralizada con la noticia.

"No sé de dónde saqué valor, pero no me podía ir sin preguntarle sobre esa nueva versión de mi vida que hasta una extraña, al parecer, estaba enterada mejor que yo. Su palidez me impresionó, por eso traté de tranquilizarla... Yo, ¿qué ironía, no? Pero la convencí de que me dijera la verdad, bueno, 'su verdad'. Me platicó que tenía entendido que en casa de mi mamá había llegado una sirvienta embarazada, que luego de tenerme no se quiso responsabilizar, por lo que me dejó a cargo de la actriz Gloria Marín, la que yo nunca dudé fuera mi verdadera madre.

"No sé ni cómo pude llegar a mi casa, mi estado era deplorable, pero no al grado de evadir el enfrentamiento. Esta vez tenía que decirme la verdad acerca de mi origen. Ya no estaba dispuesta a recibir de su parte otra mentira. Te juro Claudia, que nunca la vi llorar como entonces. Fue una escena muy fuerte entre las dos, pero por fin pudo abrirse conmigo. Empezó por confesarme que en su matrimonio con Jorge Negrete se había embarazado dos veces, uno de éstos extrauterino, por lo que perdió toda capacidad de concebir un hijo, que había sido una de las penas más grandes de su vida, pero que aún así, con el tiempo se conformó.

"Años después, pensando que la relación de ellos podía afianzarse con un hijo, él había tratado de convencer a mi madre para que adoptaran. Hecho al que ella se negó, hasta que un día, mi padre se presentó en compañía del Padre Domingo, muy amigo de la familia Negrete llevándome cargada en los brazos, explicándole que yo estaba desamparada. De momento ella no aceptó, le aclaró que no estaba preparada para educar a una niña extraña.

"Yo apenas contaba con tres meses de nacida. Pero ¿qué mujer que se precie de serlo rechaza a un bebé si de antemano sabe que está en sus manos protegerlo? Y aceptó que me quedara en su casa.

"Lo gracioso de este asunto, fue que a medida que yo crecía, mis rasgos físicos se iban pareciendo mucho a los de mi padre... Bueno, a mi padre postizo. Esto, no sólo le llamó la atención a mi mamá, de hecho la familia de él continuamente le recalcaba aquel detalle, que para ser verdad, comenzaba a inquietarle.

"Puede decirse que hasta el momento de su separación, vivió con cierto recelo, con un temor, que hasta ella misma no era capaz de confesarse. Al venir el rompimiento, máxime que fue muy tajante y doloroso, mi padre volvió a la casa con el pretexto de verme. Ella entonces le recriminó que dada mi situación, él no tenía ningún derecho a verme. Lo que nunca imaginó, ni siquiera quiso pensarlo, fue que mi padre en tono enérgico y categórico les respondiera: 'Yo tengo más derechos que tú, puesto que la nena es mi verdadera hija y tuya no'.

"Ella nunca supo si realmente le estaba diciendo la verdad. ¿Cómo podía ser posible? ¿Cuándo? ¿Con quién..? Es más, pensaba que había querido herirla en lo más profundo y estaba mintiendo. Nunca lo aclararon. Esas serían las últimas palabras que se dirigieron. Yo estaba pequeña, sin embargo, me vienen escenas vagas de ese día; sólo sé que él me llevó a regalar un patito azul, me sentó en sus piernas y lloró mucho... Son como imágenes perdidas que de pronto aparecen en mi memoria.

"Con aquello, se le despejaron muchas dudas, pero ni eso fue un consuelo para mitigar tanta amargura, lo que sufrió por esos temores. Debió ser muy difícil para ella criar a una niña en esas condiciones. Ahora la comprendo más como mujer, sobre todo cuando evoco alguna etapa de mi vida y aparecen actitudes distantes de mi madre para conmigo. Como si entre nosotras hubiera existido una barrera, algo que no alcanzaba a entender.

"Lo único que sí me consta, es que ella asumió su maternidad de una forma excepcional. Fue una madre muy cariñosa y entregada. Sé que mi padre quiso y se preocupó porque Diana, su hija del primer matrimonio y yo, nos tratáramos y nos quisiéramos como hermanas... Desgraciadamente mi madre y la suya nunca lo aceptaron. Será porque entre otras de sus confesiones, me explicó que ella y él nunca se casaron; que unos meses después de haber llegado yo se habían separado y que ella, no sé si por venganza o simplemente por pensar que no habría reconciliación, me registró como madre soltera.

"Luego, vendría el apapacho, los besos y el perdón, pero nunca arreglaron ni dejaron clara mi situación... A mí sólo me basta saber que en mi acta de bautismo, y mira que él era muy creyente, ante Dios me registró con su nombre: Gloria Virginia Negrete Ramos. No lo conocí, mentiría si digo que lo quise. Creo que el nombre de padre se gana estando junto al hijo, viéndolo crecer. Sé que si él viviera, de alguna manera lo habría hecho; ni duda cabe.

"A la que sí puedo llamar madre, con todo lo que esto encierra, es a Gloria Marín. Una mujer, bajo mi punto de vista, que luchó mucho por ser feliz sin conseguirlo. No pudo cambiar su destino.

"Su vida con los hombres que integraron su aspecto amoroso, siempre resultaba dramática, aunque en ocasiones a mí como niña, me parecía muy divertida. Recuerdo que después de su infructoso matrimonio con Salazar, se relacionó con Carlos Denegri: gran periodista, hombre brillante y muy habilidoso en el amor; le escribía poemas a mi mamá. Desgraciadamente padecía de alcoholismo y cuando bebía se convertía, según yo, en 'El monstruo de la Laguna Verde'. Sé de la reputación con la que carga este señor, pero conmigo fue un hombre cariñoso y espléndido. Si de algo puedo quejarme, es de aquellas noches cuando llegaba en la madrugada y se ponía a tocar el piano... Bueno, si a eso se le puede llamar "tocar". Producía tal ruido, que luego de su concierto era muy difícil para mí conciliar el sueño. Gracias a Dios ella tuvo el tino de cortar rápido con él, quizá presintiendo que algo podía sucederle. No se equivocó, finalmente Denegri terminó asesinado por la que posteriormente fuera su esposa.

"Siento que mi mamá siempre se topó con hombres que de alguna manera le fallaban. Mi padre, aun amándola como lo hizo, siempre antepuso a su madre y ella no la aceptaba. Salazar se involucraba con cuanta mujer le pasaba enfrente. Y algo que para ella fue muy definitivo, su padre siempre la rechazó a pesar de quererla, por dedicarse al medio artístico. Llevaban una relación distante y eso a ella le dolía mucho.

"Es evidente, que al vivir yo todas estas situaciones como hija de Gloria, tuvo que afectarme. Quizá por eso, ahora que tengo a mis hijos, cuido mucho que su ambiente sea mucho más estable; gracias a Dios lo he logrado. Uno no puede juzgar la vida de sus padres. Para mí el decir todo esto es como una catarsis, como un gran desahogo que por muchos años guardé o intenté hacerlo en mi inconsciente".

El amor que Gloria Marín sintió por su carrera, fue lo que la sostuvo en su lucha por vivir en un mundo que al pasar los años, le parecía más duro, más extraño. Su trayectoria artística y los éxitos que de ella obtuvo, llenaron de alguna manera los huecos que le dejan sus decepciones amorosas. Prueba de esto, fue su gran emoción al recibir la Diosa de Plata que conquistó por la mejor coactuación femenina en la película "Mecánica Nacional", filmada en el año 1972. Gozaba trabajando en innumerables series de televisión, como fue el caso de "Honrarás a los tuyos", donde por cierto hizo su debut la malograda actriz Viridiana Alatriste (hija de Silvia Pinal), quien muriera en su juventud en trágico accidente.

Las nuevas generaciones aún la recuerdan en su papel de Madre Superiora en "Mundo de Juguete". Participaba en todo lo que se le ofrecía porque jamás pasó por su mente la idea de retirarse. Muy a pesar de que en sus últimos años llegó a quejarse por sentirse desplazada. "Es absurdo —decía— ahora ven seniles a todos los que forjamos la industria del espectáculo. Creen que ya no podemos hacer nada y proyectan a jovencitos que no saben lo que es comenzar desde abajo".

Indiscutiblemente ella perteneció a otra camada de artistas, los que nacían, no se hacían. La vida cambia, su forma de conceptualizarla lleva otro ritmo, otras necesidades... por ende, tendrá otros resultados. Ya no se escuchará hablar de Monstruos Sagrados. Ya no habrá estrellas que al paso del tiempo sigan brillando y eclipsando a pesar de su edad, de sus pellejos.

Cuando Gloria Marín murió, el periodista Ricardo Perete comentó: "La de Dolores del Río primero, y la de Gloria Marín horas después, despertó un sentimiento tal en nuestro pueblo, que habla que únicamente quedan dos grandes del cine mexicano: María Félix y Mario Moreno 'Cantinflas' ".

Otro más faltaba en la lista, El Indio Fernández, hoy ya muerto. Quedan pues, Mario y María, que a pesar de sus pellejos, aún deslumbran.*

La actriz murió en el año 1983, a causa de un enfizema pulmonar que padecía desde 1978. Fecha que aceptó como el inicio de algo irreversible; vivió cada hora de su vida como la última, preocupándose por hacer algo por los demás. Nunca dejó de sonreír, desde que nació, esa fue su carta de presentación: la amabilidad antes que nada.

Hablar de la muerte no era asunto que le preocupara, por más

*Nota del Editor: Mario Moreno "Cantinflas" murió en abril de 1993. Sólo queda como superviviente La Doña. (Junio de 1993).

serio que lo tomara, invariablemente de sus palabras brotaba la broma: "¿Temerle a la muerte..? No, aunque si fuera a ser la única, tal vez sí. Me daría mucho miedo. Lo que si quisiera —señalaba— es que llegara lo más tarde posible, bueno eso es lo que todos deseamos". Lo más tarde para ella sucedió cuando apenas estaba por cumplir 63 años.

Su muerte ha sido uno de los golpes más fuertes en la vida de mi amiga. Sin embargo, le queda el consuelo de haber vivido junto a ella sus últimos años, en los que jamás, en tiempos anteriores, habían logrado la comunicación absoluta. Entre madre e hija ya no hubo secretos, ni faltaba nada por confesar o perdonar.

Y muy a pesar de aquella tos que asfixiaba a la actriz, cuando pudo hacerlo, le entregó como única herencia aquel baúl que por tantos años conservó cerrado e impenetrable. Se había impuesto la tarea de ordenar los documentos, los que más tarde se convertirían en la columna vertebral de este libro. Al cuidado de su hija quedaron las cartas y fotografías de su vida con el hombre que más amó, el cual hasta el momento de su muerte, dejó la huella más cálida y a la vez más fría.

"Mi madre murió adorando a Jorge Negrete; pero también se fue con la idea de que esa relación fue una de sus experiencias más duras. Yo sé que ellos se amaron toda la vida, a pesar de que cuestiones insalvables acabaron por separarlos. Mi padre fue una persona demasiado comprometida con sus principios, con valores inculcados en su familia. Esto, en contraste con el inmenso amor que sintió por mi madre, lo conflictuaron toda la vida".

13

Se dice adiós cuando el corazón está en paz, los latidos no mienten

Cabe mencionar, que me fue imposible evitar involucrar mi empatía (en la misma medida) con estos dos personajes. Ambos me llevaron a sentir con gran intensidad lo que su gran amor, su triste adiós, me producían al tiempo que enlazaba los pasajes de su vida. En verdad que lograron atraparme en sentimientos y emociones que iban de la admiración a la ternura, de la impotencia al coraje, hasta que comprendí que nadie puede juzgar una historia de amor sin haberla vivido en carne propia; que no se puede buscar sin errar, el punto de partida de una telaraña, ni actuar sin dolo queriendo apuntar hacia una sola víctima. Por esta razón y debido más que nada a una cuestión cronológica, queda para cerrar el libro la última carta que Jorge le escribió a Gloria, misma que ella señaló así ante la inminente ruptura: "Ése fue un adiós para siempre". Un adiós que sólo se dice cuando el corazón está en paz, los latidos no mienten.

Mayo 30 de 1952

Viejita de mi vida:

En la inmensa soledad del alma mía, no me queda más consuelo que el saber que no soy culpable de esta pena, pues la vida no me supo comprender. Las tristezas y sufrimientos de este mundo son resultado de nuestros actos, pero no siempre se nos puede culpar de ser autores conscientes, ya que el

Viejita de mi vida:

En la inmensa soledad del alma mía
no me queda más consuelo que el saber
que no soy el culpable de esta pena
pues la vida no ~~siquiera~~ me supo comprender

Las tristezas y sufrimientos de este mundo
~~solo son~~ resultado son de nuestros actos
pero no siempre se nos puede culpar de ser autores
conscientes ya que el cerebro nuestro nada puede
prever; solamente en algunas ocasiones, es el
corazón quien, no prevee sino presiente que algo
bueno o malo se avecina. — Sin embargo, cuando
la mente está tranquila y exenta de otras preo
cupaciones, puede ella serenamente analizar las
situaciones y medir los peligros a que puedan
llevarnos nuestros actos. — Este análisis se impone
pues todo el mundo debe darle el primer lugar en
importancia, despojándose de todo aquello que le
estorbe, para poder trazar la línea de conducta a
seguir para salvar obstáculos y posibles sufrimien
tos futuros; en verdad este es el procedimiento que
debe seguirse en todos los casos de la vida, pero
especialmente en los que están envueltos los sen
timientos, pues al hacer a un lado este proble
ma, nos jugamos el futuro y hasta la misma
vida. — Un fracaso pasional inesperado, puede
tener un sin fin de variaciones de acuerdo con
el carácter, sentimientos y principios de ~~quien~~
~~la vida~~ de cada sér: en algunos casos, las
gentes reaccionan normalmente, es decir, muer
den sus entrañas con las fauces del dolor que
los consume y conservan su posición de seres
inteligentes y civilizados, haciendo todo lo posible
por consolarse y aun cuando no lo logren, el
tiempo y el carácter, el trabajo y, sobretodo, los

principios morales, le ayudan a hacer menos doloroso el resto del camino, ~~E~~ ~~otra cosa,~~ ~~la reacción es contraria, se dice~~ conserva lo siempre, hasta la muerte, la esperanza de rehacer lo que se derrumbó y volver ahora y para siempre a luchar por una poca de felicidad, haciendo a un lado los obstáculos, los prejuicios y todo aquello que se pudiera interponer o se interpuso antes para ser dichoso. — Otras veces, la reacción es contraria, pues se busca el consuelo y el olvido en alcoholes y en mujer a fin de embotar los sentidos para atenuar el inmenso dolor sufrido; pero no siempre se logra esto sino lo contrario, aguadizar el dolor haciendo más vivo y trágico el recuerdo y lanzar al doliente y atormentado espíritu a los más bajos y tenebrosos abismos del vicio y la degradación. En estos casos, surge siempre la tragedia, en la forma de ~~asesinato~~ o suicidio o ambos.. Esto no es lo humano, sino lo bestial que no soluciona nada, pero que en cambio ~~salpica~~ salpica con su pena personal a ~~otras~~ seres inocentes que por esa causa sufrirán toda la vida.. — En el primer caso me encuentro yo, mi vida, y no me cansaré de dar ~~gracias~~ a Dios N.S. por haberme concedido criarme entre gente de principios, pues me ha evitado destrozar otras vidas ~~alejándome~~ de lo bestial. — Mi culpa es precisamente no haberme detenido a analizar el fondo de mi vida toda y especialmente de mi vida contigo; ese fué mi error y mi dolor inmenso es el pago de esa falta.— Por eso negrita, he querido que estas líneas sinceras, tan llenas de ternura para ti, representen mi último regalo, para que nunca hagas lo que he hecho yo; conserva hasta el fin y por todos los medios, un afecto, un cariño o un amor, pero que al final de la Vereda, no te veas, ni te sientas sola, sola, tan sola como solo me

La dolorosa carta del rompimiento. Facsimilar.

cerebro nuestro nada puede preveer. Solamente es el corazón quien no prevee, sino presiente algo malo que nos avecina. Sin embargo, cuando la mente está tranquila, exenta de otras preocupaciones, puede serenamente analizar las situaciones y medir los peligros a los que nos pueden llevar nuestros actos.

En verdad, que éste es el procedimiento que debe seguir en todas las cosas de la vida. Especialmente en todas las que están envueltos los sentimientos; pues al hacer a un lado este problema, nos jugamos el futuro y hasta la vida.

Un fracaso pasional inesperado puede tener un sinfín de variaciones, de acuerdo con el carácter, sentimientos y principios de cada ser. En algunos casos la gente reacciona normalmente; es decir: muerden sus entrañas con las fauces del dolor que los consume y conservan una posición de seres inteligentes y civilizados. Hacen todo lo posible por consolarse y aun, cuando no lo logran, el tiempo, el carácter y el trabajo, y sobre todo, sus principios morales, les ayudan a que sea menos doloroso el resto del camino, conservando siempre, y hasta la muerte, la esperanza de rehacer lo que se derrumbó. Y volver ahora y hasta siempre a luchar por un poco de felicidad, haciendo a un lado los obstáculos, los prejuicios y todo aquello que pudiera interponerse o se interpuso, antes de ser dichoso.

Otras veces la reacción es contraria, pues se busca el consuelo y el olvido en alcoholes, en mujeres, a fin de embotar los sentidos para atenuar el inmenso dolor sufrido. Esto, no siempre se logra, al contrario; agudiza el dolor haciendo más vivo y trágico el recuerdo. Lanza pues, al doliente y atormentado espíritu, a los más bajos y tenebrosos abismos del vacío y la degradación. En este caso, surge siempre la tragedia en forma de asesinato o suicidio; pero esto no es lo humano, sino lo bestial, que salpica y para siempre, a otros seres inocentes que por esa causa sufrirán toda la vida.

En el primer caso me encuentro yo, mi vida. No me canso de darle gracias a Dios N.S. por haberme concedido criarme entre gente de principios, pues me ha evitado destrozar otras vidas, alejándome de lo bestial.

Mi culpa principalmente, fue no haberme detenido a analizar el fondo de mi vida toda, y especialmente mi vida contigo. Ese fue mi error, y mi dolor inmenso es el pago de esa falta. Por eso Negrita, he querido que estas líneas sinceras, tan llenas de ternura para ti, representen mi último regalo, para que nunca hagas lo que yo he hecho. Conserva hasta el final y por todos los medios un afecto, un cariño, un amor; para que al final de la vereda, no te veas ni te sientas sola. Sola, tan sola como solo me siento yo.

Analiza los caracteres de quienes te rodean, sus gustos, sus aficiones y procura amoldarte a ellos. No te encierres en ti solamente, ni creas que tu forma de vida ha de ser aceptada, pasiva e íntegramente. En una palabra, busca siempre el equilibrio lógico y bien intencionado en todos los actos de tu vida. Este regalo mío, el postrero, ha de servirte algún día, cuando necesites ánimos y consejo. Recuerda que siempre estaré esperando me llames como tu hermano mayor, ya que no supe ser tu marido.

Jorge.

Gloria Marín y Jorge Negrete, no están con nosotros; cabalgan triunfantes por la senda del amor... de los inmortales.

Gloria Marín y Jorge Negrete ya no están con nosotros. Cabalgan triunfantes por la senda del amor... de los inmortales.

GLORIA Y JORGE. CARTAS DE
AMOR. En su cuarta edición quedó
totalmente impreso y encuaderna-
do el 20 de noviembre de 1994. La
labor se realizó en los talleres del
Centro Cultural EDAMEX, Heriberto Frías 1104, Col. del Valle,
México, 03100. Se hicieron 3,000
ejemplares.

CALIDAD TOTAL